INTRODUCTION

Crosswords are ideal for extending our vocabulary and general knowledge; and keeping our brains in great shape. Over 100 puzzles are presented in this attractive compilation in a standard 13 x 13 easy-to-read grid with straightforward clues leading to straightforward answers. All the solutions are supplied at the back of the book, in full grid format, to enable instant checking. Enjoy the challenge!

1

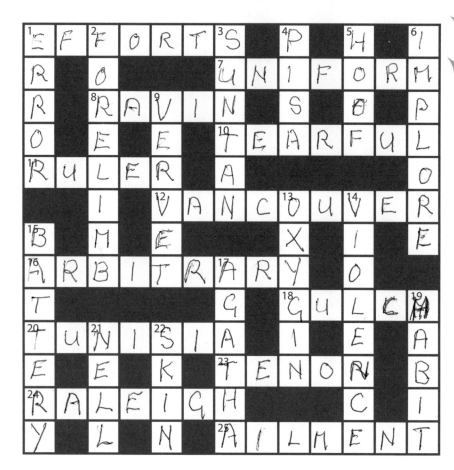

The completed crossword grid reads:

Row 1: E F F O R T S · P · H · I
Row 2: R · O · U N I F O R M
Row 3: R · R A V I N · S · O · P
Row 4: O · E · E · T E A R F U L
Row 5: R U L E R · A · · · O
Row 6: · · I · V A N C O U V E R
Row 7: B · M E · · X · I · E
Row 8: A R B I T R A R Y · O
Row 9: T · · · G · G U L C H · A
Row 10: T U N I S I A · I · E · A
Row 11: E · E K · T E N O R · B
Row 12: R A L E I G H · · · C · I
Row 13: Y · L · N · A I L M E N T

Across

1 Endeavours (7)
7 Clothing of distinctive design worn by members of a particular group (7)
8 Black bird (5)
10 Given to crying (7)
11 Monarch (5)
12 Canada's chief Pacific port (9)
16 Subject to individual discretion or preference (9)
18 Narrow gorge with a stream (5)
20 Republic in north-western Africa (7)
23 Projection at the end of a piece of wood (5)
24 Sir Walter ___, Elizabethan explorer (7)
25 Bodily disorder or disease (7)

Down

1 Departure from what is ethically acceptable (5)
2 Front leg (8)
3 Natural browning of 22 Down (6)
4 Site of the famous Leaning Tower (4)
5 Horny foot (4)
6 Beseech (7)
9 South African monkey with black face and hands (6)
13 Gas found in air (6)
14 Act of aggression (8)
15 Dry cell, eg (7)
17 ___ Christie, crime novelist (6)
19 Use (5)
21 Ms Gwyn, mistress of Charles II (4)
22 Protective covering of the body (4)

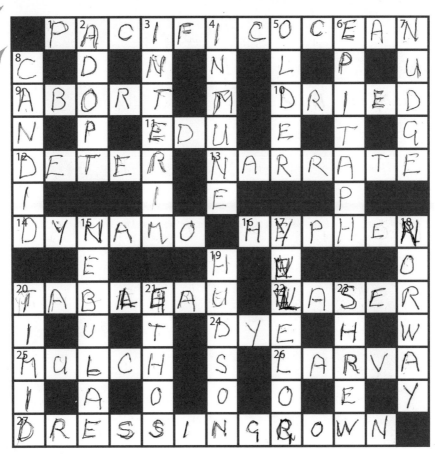

Across

1 World's largest body of water (7,5)
9 Terminate (5)
10 Lost moisture (5)
11 ___ de cologne, perfumed liquid (3)
12 Dissuade (5)
13 Tell a story (7)
14 Generator (6)
16 Punctuation mark (6)
20 Group of people attractively arranged (7)
22 Light-beam amplifier (5)
24 Substance for staining or colouring (3)
25 Protective covering of half-rotten vegetable matter (5)
26 Insect in the stage between egg and pupa (5)
27 Bedroom robe (8,4)

Down

2 Take as one's own (5)
3 Time between one event and another (7)
4 Resistant (6)
5 More senior in years (5)
6 Inscription on a tombstone (7)
7 Prod (5)
8 Outspoken (6)
15 Immense clouds of gas and dust in space (7)
17 Christmas firewood (4,3)
18 Constitutional monarchy in northern Europe (6)
19 River which flows into New York Bay (6)
20 Shy (5)
21 Distinctive spirit of a culture (5)
23 Small mouselike mammal (5)

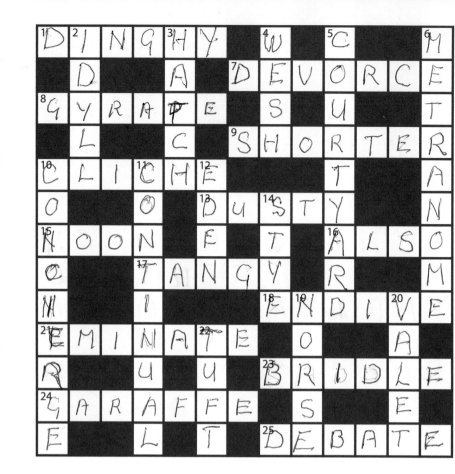

3

Across

1 Small rowing boat (6)
7 Legal dissolution of a marriage (7)
8 Whirl (6)
9 Not as long (7)
10 Trite or obvious remark (6)
13 Powdery (5)
15 Midday (4)
16 Likewise (4)
17 Tasting sour (5)
18 Widely cultivated herb with leaves valued as salad greens (6)
21 Issue forth (7)
23 Headgear for a horse (6)
24 Long-necked animal (7)
25 Public discussion (6)

Down

2 Musical composition that evokes rural life (5)
3 Shading consisting of multiple crossing lines (5)
4 Specific feeling of desire (4)
5 Small garden surrounded by walls or buildings (9)
6 Clicking pendulum indicating the tempo of a piece of music (9)
10 Caretaker of apartments or a hotel (9)
11 Incessant (9)
12 Biblical garden (4)
14 Eyelid swelling (4)
19 Relating to Scandinavia (5)
20 Manservant (5)
22 Tussock (4)

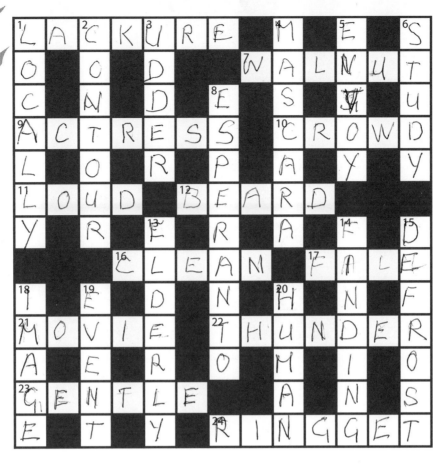

Across

1 Hard glossy coating (7)
7 Wrinkly, two-lobed seed with a hard shell (6)
9 Female stage performer (7)
10 Bunch, herd (5)
11 At high volume (4)
12 Facial hair (5)
16 Free from dirt or impurities (5)
17 Plunge (4)
21 Motion picture (5)
22 Rumbling sound associated with lightning (7)
23 In a mild, soft manner (6)
24 Monetary unit of Malaysia (7)

Down

1 Nearby (7)
2 Line on a map connecting points of equal height (7)
3 Cow's milk gland (5)
4 Make-up used on the eyelashes (7)
5 Delight (5)
6 Analyse (5)
8 Artificial language (9)
13 Aged (7)
14 Detecting (7)
15 Thaw (7)
18 Personal facade that one presents to the world (5)
19 Outcome (5)
20 Relating to a person (5)

5

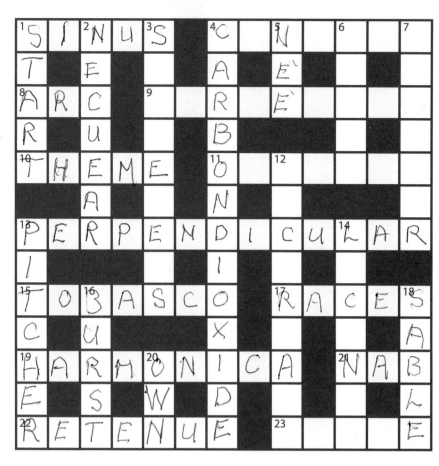

Across

1 Air cavity in the skull (5)
4 Adjust to new or different conditions (7)
8 Continuous portion of a circle (3)
9 Native of Oslo, for example (9)
10 Melodic subject of a musical composition (5)
11 Prosperous (7)
13 At right angles to the plane of the horizon or a base line (13)
15 Very spicy sauce made from peppers (7)
17 Goes along at great speed (5)
19 Instrument played by blowing into the desired holes (9)
21 Seize suddenly (3)
22 Entourage (7)
23 Small concavity (5)

Down

1 Begin (5)
2 Atomic (7)
3 Not marked by the use of reason (9)
4 CO_2 (6,7)
5 Surnamed before marriage (3)
6 Speak up (5)
7 Inhuman person (7)
12 Not sure (9)
13 Water jug (7)
14 Brief and to the point (7)
16 Explode (5)
18 Brownish black colour (5)
20 Possess (3)

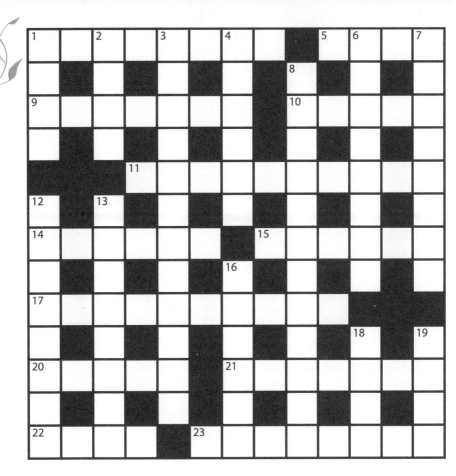

6

Across

1 Pertinent, apt (8)

5 Assist (4)

9 Inert medication (7)

10 Slacken off (5)

11 Warning beacon for shipping (10)

14 Held legally responsible (6)

15 Fit out with garments (6)

17 City in south-west Pennsylvania (10)

20 Girl's name (5)

21 Indecipherable (7)

22 Period of time (4)

23 Wrapped (8)

Down

1 Mountain range (4)

2 Design (4)

3 Devoting oneself to a particular area of work (12)

4 Token of victory (6)

6 Move people from their homes (8)

7 Was earlier in time (8)

8 Evidencing a mentally disturbed condition (12)

12 Having an ability to cause a slide (8)

13 Woman's silk or lace scarf (8)

16 Season of the year (6)

18 Hardy novel, ___ *of the d'Urbervilles* (4)

19 Waterless (4)

Across

1 Inoculate by using a needle (6)
7 Indirect (and usually malicious) implication (8)
8 Red gemstone (4)
10 Christian celebration of the Resurrection of Christ (6)
11 Substantive (4)
12 Two-sixths (5)
13 Arrogant (7)
16 Sequoia (7)
18 Vine fruit (5)
21 Titled peer of the realm (4)
23 Touch (a body part) lightly, so as to cause laughter (6)
25 Poetical name for Ireland (4)
26 Part of the small intestine (8)
27 Religious residence in a monastery (6)

Down

1 Enter forcibly (6)
2 Aggressive and pointed remark (4)
3 Cultivated soil (5)
4 Beg (7)
5 Edible leguminous seed (4)
6 Alter or regulate so as to achieve accuracy (6)
9 Strong-scented, mat-forming wild herb (6)
14 Corset (6)
15 Satisfied (7)
17 Mass departure (6)
19 In a level and regular way (6)
20 One who is playfully mischievous (5)
22 Stage name of singer Florian Cloud De Bounevialle Armstrong (4)
24 Consequently (4)

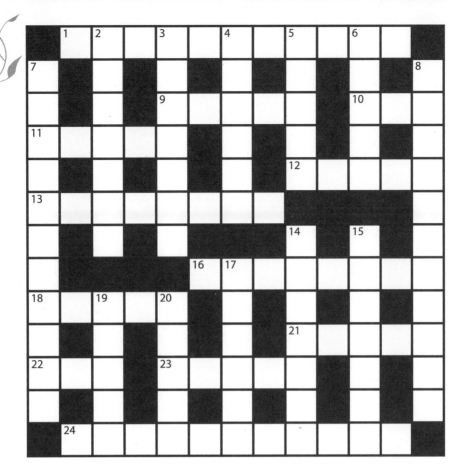

Across

1 Line of small holes for tearing at a particular place (11)

9 Serious (5)

10 As well (3)

11 Most unfit (5)

12 Coat with fat during cooking (5)

13 Restore to a previous condition (8)

16 Two-winged, blood-sucking insect (8)

18 Notches (5)

21 Augmenting (5)

22 Earlier in time, poetically (3)

23 Make up for (5)

24 Persistently annoyed or pestered (11)

Down

2 Item of jewellery (7)

3 Offering fun and gaiety (7)

4 Burrowing animal (6)

5 Pulsate (5)

6 Profane or obscene expressions (5)

7 Without a basis in reason or fact (11)

8 Premeditation (11)

14 Compress (7)

15 Obvious to the eye (7)

17 Four-sided shape (6)

19 Greek island (5)

20 Showing deterioration from age, as with bread for example (5)

9

Across
1 Unruly (11)
7 Mimic (3)
8 Provide physical relief, as from pain (9)
9 Gave way, relinquished control over (7)
11 Biting tool (5)
14 Invited visitors (6)
15 More idle (6)
16 Unclothed (5)
19 Wolfgang ___ Mozart, composer (7)
21 Entrance fee (9)
23 Star sign between Cancer and Virgo (3)
24 Basic French dressing for salads (11)

Down
1 Daily written record of events (5)
2 Be in debt (3)
3 Disorder of the central nervous system characterized by convulsions (8)
4 Bring to bear (5)
5 Prohibited (5)
6 Not one nor the other (7)
10 Cotton fabric used especially for hosiery and underwear (5)
12 Seeped (5)
13 Bathroom pipes and fixtures (8)
14 Boat seen in Venice (7)
17 Russian city on the Vyatka River (5)
18 Pipe through which liquid is carried away (5)
20 On account of (5)
22 Prosecute (3)

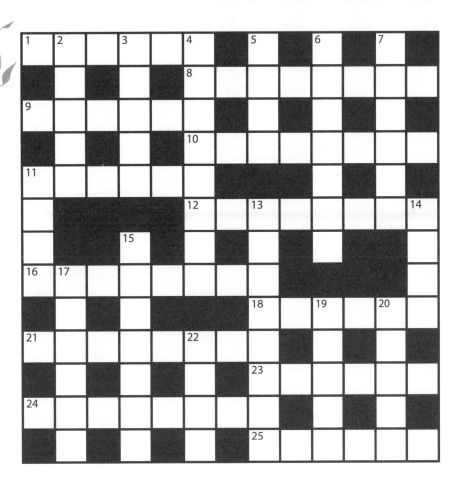

Across

1 Tasting sour (6)

8 Conjoining contradictory terms (eg 'deafening silence') (8)

9 Crown or headband worn by a sovereign (6)

10 Official language of China (8)

11 Capital of the Bahamas (6)

12 Cooking to a brown crispiness on a grill (8)

16 Frenzy (8)

18 Genteel (6)

21 Medical preparation for the nose (8)

23 Call forth (6)

24 Increase in distance (8)

25 Male infant sponsored by an adult at baptism (6)

Down

2 Crockery (5)

3 Men preoccupied with dressing smartly (5)

4 Someone who travels regularly from home in a suburb to work in a city (8)

5 Dark greenish-blue, one of the three primary colours (4)

6 Monarchy (7)

7 Movement (6)

11 Biblical ark-builder (4)

13 Changing to suit a new purpose (8)

14 Sticky paste (4)

15 Out of the ordinary (7)

17 Over there (6)

19 Furiously angry (5)

20 Capital of Japan (5)

22 Throb dully (4)

11

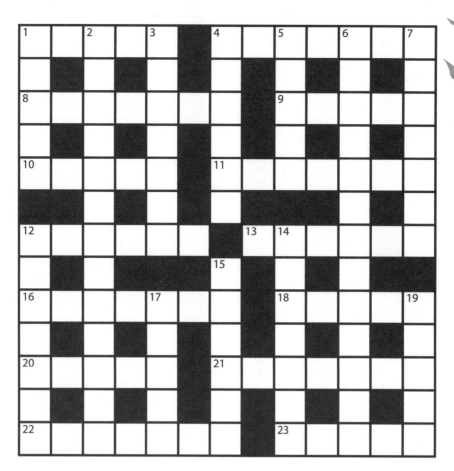

Across

1 Intense burst of radiant energy (5)
4 Substance capable of dissolving other substances (7)
8 Phlegm (7)
9 Measure (5)
10 Cheeky (5)
11 Spiced Spanish wine (7)
12 Long brightly coloured shawl; worn mainly by Mexican men (6)
13 Have an ambitious plan or a lofty goal (6)
16 Disturb the composure of (7)
18 Accepted practice (5)
20 Forum in ancient Greece (5)
21 Congealing (7)
22 Voted into office (7)
23 Wash off soap (5)

Down

1 Central point of concentration (5)
2 British author of the *Swallows and Amazons* series of children's books (6,7)
3 Get a move on! (5,2)
4 Division of a group into opposing factions (6)
5 Pale yellow colour (5)
6 Complete annihilation (13)
7 Patio (7)
12 Highly seasoned meat stuffed in a casing (7)
14 Leisurely walk (7)
15 Stopped (6)
17 Cook with dry heat (5)
19 Legionary emblem (5)

Across

1 Lord (4)
3 Ribbon-like intestinal parasite (8)
9 Raking through (7)
10 Accolade (5)
11 Sarcastic pessimist (5)
12 Acknowledgment that payment has been made (7)
13 End product (6)
15 Seem (6)
17 Insusceptible to persuasion (7)
18 Shinbone (5)
20 Indian city (5)
21 Treat as a celebrity (7)
22 Haughty (8)
23 Incisive (4)

Down

1 Reference work containing articles on various topics (13)
2 Resident of the capital of Italy (5)
4 Fine, silky hair, used to make garments (6)
5 Freeing someone from the control of another (12)
6 Pearlescent (7)
7 Large inland sea (13)
8 Depriving of confidence or enthusiasm (12)
14 Fishing boat that uses a dragnet (7)
16 Russian leader who succeeded Lenin (6)
19 Green fabric used to cover gaming tables (5)

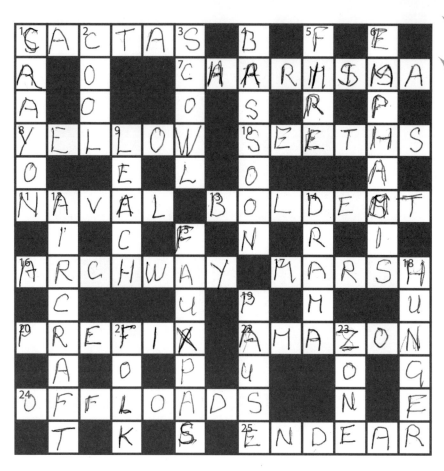

Across

1 Spine-bearing, succulent plant (6)

7 Personal magnetism (8)

8 Colour associated with cowardice (6)

10 Be in an agitated emotional state (6)

11 Scar where the umbilical cord was attached (5)

13 Most daring (7)

16 Vaulted passage (7)

17 Low-lying wetland (5)

20 Letters added in front of a word (6)

22 South American river (6)

24 Unburdens, discharges (8)

25 Work a way into someone's affections (6)

Down

1 Wax drawing implement (6)

2 Chilly (4)

3 Frown (5)

4 Double-reed instrument (7)

5 Conflagration (4)

6 Special and significant stress (8)

9 Bloodsucking parasite (5)

12 Plane (8)

14 Turbulent or highly emotional episode (5)

15 Socially awkward or tactless act (4,3)

18 Physiological need for food (6)

19 Temporary stop (5)

21 People (4)

23 Partition (4)

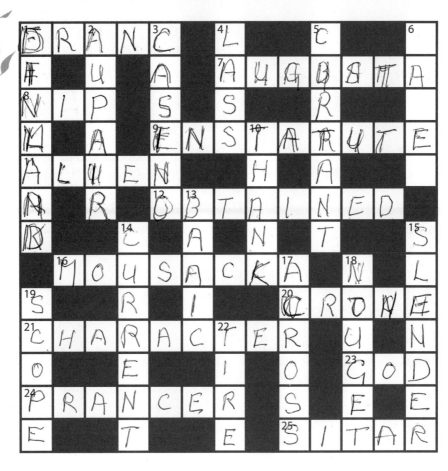

Across

1 Former French coin (5)

7 Capital of the state of Maine, USA (7)

8 Small drink (3)

9 Association organized to promote art, science or education (9)

11 Strange (5)

12 Got (8)

16 Casserole of aubergine and ground lamb in a sauce (8)

20 Ugly evil-looking old woman (5)

21 Property that defines one's individual nature (9)

23 Divinity (3)

24 Name of one of Santa's reindeer (7)

25 Stringed instrument of Indian origin (5)

Down

1 Country, capital Helsinki (7)

2 Foreign woman hired as a home help (2,4)

3 Gambling place (6)

4 Young girl (4)

5 Seedless raisin (7)

6 Ring-shaped bread roll (5)

10 Express gratitude (5)

13 Primary (5)

14 Flow of electricity (7)

15 Slim (7)

17 Transversely (6)

18 Nuts or fruit pieces in a sugar paste (6)

19 Range (5)

22 Fatigue (4)

Across

1   Able to absorb fluids (6)
7   Clergyman ministering to an institution (8)
8   Sealed metal storage container (3)
9   Half asleep (6)
10 Peruse (4)
11 Engraving or carving in relief (5)
13 Cruel killer (7)
15 Entwined (7)
17 First letter of the Greek alphabet (5)
21 Prickly seedcase (4)
22 Capital city of Taiwan (6)
23 Dry (wine) (3)
24 Light brown raw cane sugar (8)
25 Seventh planet from the sun (6)

Down

1   Informal meal eaten outside (6)
2   Hit-or-miss (6)
3   Facial expression of dislike (5)
4   Paper-reed (7)
5   Engaged in office work (8)
6   Become wider (6)
12 Over full, as with blood (8)
14 In the middle (7)
16 Shrewdness shown by keen insight (6)
18 Substance that causes illness or death (6)
19 Counting implement (6)
20 Rice cooked in well-seasoned broth (5)

¹H	O	²R	N	³E	T		⁴N	⁵O	I	⁶S	E	⁷S
E		H		N		⁸P		D		A		A
⁹A	V	O	C	A	D	O		Y		R		N
R		D		C		¹⁰R	E	S	C	I	N	D
¹¹T	H	E	F	T		T		S		A		A
Y		S		O		O		¹²E	X	¹³P	E	L
		I		¹⁴P	U	F	F	Y		A		
¹⁵K	N	A	V	E	S			S		S		¹⁶A
I		N		S		¹⁷R	A	S	P	S		S
¹⁸G	E	O	¹⁹R	G	I	A		E		A		Y
A		P	U			²⁰T	A	L	E	G	A	L
L		A	I			N		A		E		U
²¹I	N	S	A	N	E		²²G	Y	P	S	U	M

Across

1 Large stinging paper wasp (6)
4 Sounds (6)
9 Tropical fruit (7)
10 Countermand (7)
11 Robbery (5)
12 Kick out (5)
14 Abnormally distended (5)
15 Varlet (5)
17 Utters in an irritated tone (5)
18 Country to the north of Armenia (7)
20 Prohibited (7)
21 Mad (6)
22 Common white or colourless mineral (6)

Down

1 Enthusiastic and warm in manner (6)
2 Zimbabwe's former name (8)
3 Perform as if in a play (5)
5 Homer's epic poem (7)
6 Hindu woman's garment (4)
7 Summer shoe (6)
8 Capital and largest city of Trinidad and Tobago (4,2,5)
13 Sections of text (8)
14 Short-legged flightless bird of Antarctic regions (7)
15 Capital of Rwanda (6)
16 Sanctuary (6)
17 Pass on (5)
19 Piece of music (4)

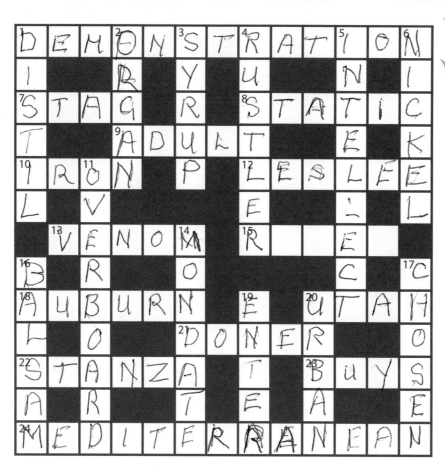

The completed crossword grid reads:

Across 1: DEMONSTRATION
7: STAG
8: STATIC
9: ADULT
10: IRON
12: LESLEE
13: VENOM
15: R---E-
18: AUBURN
20: UTAH
21: DONER
22: STANZA
23: BUYS
24: MEDITERRANEAN

Across

1. Visual presentation showing how something works (13)
7. Male deer (4)
8. Motionless (6)
9. Grown-up (5)
10. Golf club that has a relatively narrow metal head (4)
12. Actor Nielsen, of the *Naked Gun* films (6)
13. Snake poison (5)
15. Regenerate (5)
18. Reddish-brown hair colour (6)
20. USA's 'Mormon State' (4)
21. Giver (5)
22. Number of lines of verse (6)
23. Purchases (4)
24. Large inland sea (13)

Down

1. Extract (6)
2. Reed instrument (5)
3. Thick sugary liquid (5)
4. Cattle-lifter (7)
5. Capacity for rational thought (9)
6. Silvery metallic element (6)
11. From a vessel into the water (9)
14. Authoritative command (7)
16. Fragrant oily resin used in perfumes (6)
17. Selected (6)
19. Enrol (5)
20. Characteristic of a city (5)

18

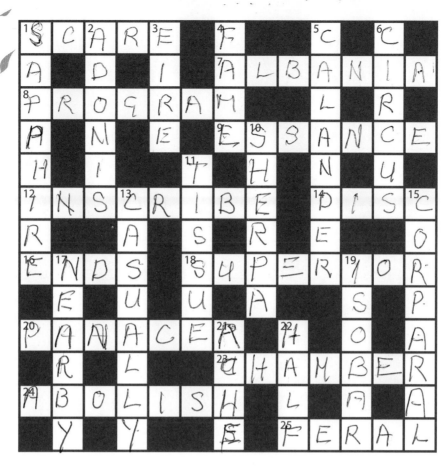

The completed crossword grid contains the following answers:

Across: SCARE, ALBANIA, PROGRAM, ESSANCE, INSCRIBE, DISC, ENDS, SUPERIOR, PANACEA, CHAMBER, ABOLISH, FERAL

Across

1 Cause fear in (5)
7 Country, capital Tirana (7)
8 Sequence of instructions that a computer can interpret (7)
9 Gist (7)
12 Etch into a material or surface (8)
14 Flat round object (4)
16 Finishes (4)
18 Higher-ranking (8)
20 Hypothetical remedy for all ills or diseases (7)
23 Sleeping room (7)
24 Eradicate (7)
25 Wild and menacing (5)

Down

1 Precious stone (8)
2 Handsome youth loved by Aphrodite (6)
3 Irish Republic (4)
4 Renown (4)
5 Record of annual dates (8)
6 Travelling show (6)
10 Inhabitant of Tibetan Himalayas (6)
11 Paper handkerchief (6)
13 In an unconcerned manner (8)
15 Non-commissioned officer in the armed forces (8)
17 Close at hand (6)
19 Pressure line on weather map (6)
21 Throb dully (4)
22 One of two parts (4)

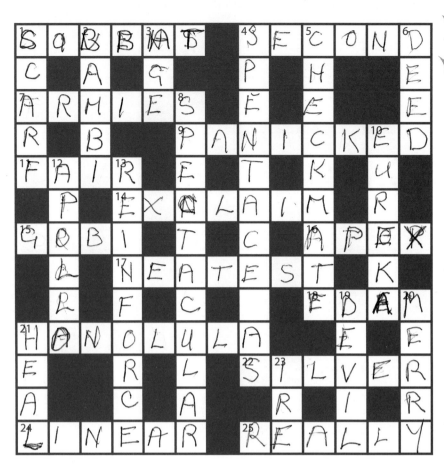

The completed crossword grid reads:

Across: SABBAT / SECOND, ARMIES, PANICKED, FAIR, EXCLAIM, GOBI, APEX, NEATEST, EDAM, HONOLULA, SILVER, LINEAR, REALLY

Across

1 Midnight meeting of witches (6)

4 Transfer a soldier (6)

7 Ground forces (6)

9 Thrown into a state of intense fear (8)

11 Just (4)

14 Cry out (7)

15 Desert of Mongolia and China (4)

16 Summit (4)

17 Most tidy (7)

18 Mild yellow Dutch cheese (4)

21 Capital of Hawaii (8)

22 Precious metal (6)

24 One-dimensional (6)

25 Truly (6)

Down

1 Muffler (5)

2 Disney fawn (5)

3 Grow older (3)

4 Happening without apparent external cause (11)

5 Finishing chess move (9)

6 Feat (4)

8 Sensational in appearance (11)

10 Word uttered by Archimedes (6)

12 Greek god of light (6)

13 Make stronger (9)

19 Old Nick (5)

20 Clemency (5)

21 Back part of a shoe (4)

23 Extreme anger (3)

Across

1 Machines that convert other forms of energy into mechanical energy (6)

4 Pungent root eaten as a salad vegetable (6)

7 Follower of Hitler (4)

8 Long narrow sled without runners (8)

10 Flour mixture thin enough to pour (6)

12 Convert into cash (6)

14 Meat pin (6)

17 To descend by rope (6)

19 Underground cemetery (8)

21 Tortilla rolled around a filling (4)

22 Egyptian god of the underworld (6)

23 Set, become more firm (6)

Down

1 Intellect (4)

2 Countries of Asia (6)

3 Area (6)

4 Eraser (6)

5 Ducked, eluded (6)

6 Integral to a plan of action, especially in war (9)

9 In reverse (9)

11 Film starring Bette Davis, *All about* ___ (3)

13 Recede (3)

15 Less forceful (6)

16 Greek island in the Aegean Sea (6)

17 Waylay (6)

18 Paramour (6)

20 Presently (4)

The completed crossword grid contains the following entries:

- 1 Across: OUTLINE
- 5 Across: YOKEL
- 8 Across: FORECLOSURE
- 9 Across: COVER
- 11 Across: IMPASSE
- 13 Across: SHABBY
- 14 Across: RANKLE
- 17 Across: CHIMERA
- 18 Across: MOSES
- 19 Across: INHERITANCE
- 22 Across: CRYPT
- 23 Across: LECTERN

Across

1 Sketch (7)

5 Country bumpkin (5)

8 Legal proceedings initiated by a creditor to repossess the collateral for a loan (11)

9 Blanket (5)

11 Stalemate (7)

13 Tatty (6)

14 Cause to feel aggrieved (6)

17 Fabulous monster (7)

18 Old Testament prophet (5)

19 Estate that passes to the heir on the death of the owner (11)

22 Church cellar (5)

23 Reading desk (7)

Down

1 Places where clerical work is carried out (7)

2 Old salt (3)

3 Having no possible remedy (9)

4 Strikingly strange (6)

5 Second person pronoun (3)

6 Souvenirs (9)

7 Term of a contract (5)

10 Practicality, usefulness (9)

12 Practical (9)

15 Oriental (7)

16 Travel around an area regularly to maintain security (6)

17 Belonging to a city (5)

20 Very warm (3)

21 Named prior to marriage (3)

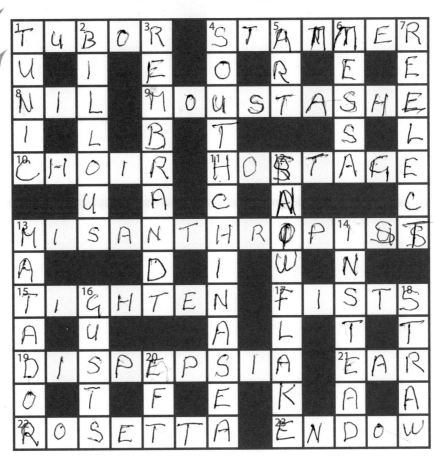

Across

1 Fleshy root (5)

4 Speech disorder (7)

8 Zero (3)

9 Growth of hair on the upper lip (9)

10 Group of singers (5)

11 Surety (7)

13 Person who distrusts other people (13)

15 Make taut (7)

17 Clenched hands (5)

19 Indigestion (9)

21 Sense organ for hearing (3)

22 Egyptian hieroglyphic inscription, the ___ Stone (7)

23 Give qualities or abilities to (5)

Down

1 Loose-fitting garment (5)

2 Irritable as if suffering from 19 Across (7)

3 Dutch painter, 1606-1669 (9)

4 Tropical arm of the Pacific Ocean subject to frequent typhoons (5,5,3)

5 Painting, sculpture, etc (3)

6 Birthplace of Mohammed (5)

7 Vote back into office (2-5)

12 Crystal of frozen rain (9)

13 Bullfighter (7)

14 Alternatively (7)

16 Blows (5)

18 Stubble (5)

20 Newt (3)

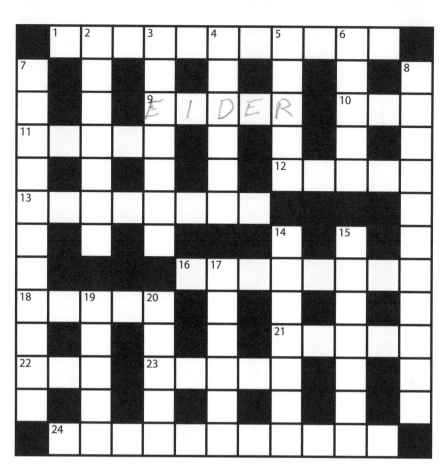

Across

1 Discussion intended to produce an agreement (11)

9 Duck valued for its soft down (5)

10 Entirely (3)

11 Person authorized to conduct religious worship (5)

12 Airport in Chicago (5)

13 Bullfighter (8)

16 Prince or king in India (8)

18 Cove (5)

21 Italian operatic composer (1813-1901) (5)

22 Immeasurably long period of time (3)

23 Personal facade that one presents to the world (5)

24 Hasty and without attention to detail (11)

Down

2 Gastronome (7)

3 Impose too high a burden upon (7)

4 Rainbow colour (6)

5 Main part of the human body (5)

6 City in Nebraska, USA (5)

7 Gave new life or vigour to (11)

8 Option (11)

14 Reap (7)

15 Combatant (7)

17 Accomplish (6)

19 Make a thrusting forward movement (5)

20 Burglar (5)

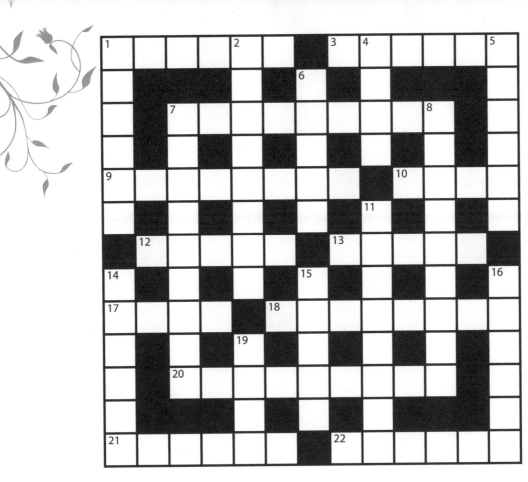

24

Across

1 Decanter (6)

3 Hand tool for lifting loose material (6)

7 Decorative objects (9)

9 Most auspicious (8)

10 In addition (4)

12 Poetry (5)

13 Small waterway (5)

17 Short letter (4)

18 Taking away (8)

20 Time between midday and evening (9)

21 Grave (6)

22 Ground surrounded by water (6)

Down

1 Bovine animals (6)

2 Most amusing (8)

4 Intimation (4)

5 Capital of England (6)

6 Entertain (5)

7 Musical group (9)

8 Choice (9)

11 Energetic (8)

14 Takes delight in (6)

15 Fatigued (5)

16 Tallied (6)

19 Speck (4)

25

Across

1 Gives a signal (9)
5 Depression in an otherwise level surface (3)
7 Take up space (6)
8 Central American canal (6)
10 Entanglement (4)
11 Most unsightly (7)
13 Most readily to hand (7)
17 Someone engaged in fighting (7)
19 Examination conducted by word of mouth (4)
21 Rectifies, redresses (6)
22 Repair shop where vehicles are serviced (6)
23 Point (3)
24 Fill something previously emptied (9)

Down

1 Magnetic metallic element, symbol Fe (4)
2 Respectable (6)
3 Material wealth (7)
4 Cause an engine to stop (5)
5 Sliding container in a piece of furniture (6)
6 Banana-like fruit with green skin (8)
9 Room for a baby (7)
12 Responded (8)
14 Depository for goods (7)
15 Lustrous (6)
16 The Aloha State, famous for its volcanic mountains (6)
18 Lay to rest (5)
20 Network structure (4)

26

Across

1 Landlocked monarchy in south-east Africa (9)
8 Make merry (5)
9 Light mid-afternoon meal (3)
10 Early form of modern jazz (5)
11 Quick evasive movement (5)
12 Organic compound (5)
14 Not dangerous to health (6)
16 Vim, drive (6)
20 Holy man (5)
23 Bolt (5)
25 Edge tool used in shaving (5)
26 Poem with complex stanza forms (3)
27 Up to a time that (5)
28 Robber (9)

Down

1 Placed (5)
2 Forsake (7)
3 Large mass of frozen water (7)
4 Land on which food is grown (6)
5 Cover with cloth (5)
6 Expel from one's property (5)
7 Hypersensitive reaction (7)
13 Her (3)
14 Self-consciously timid (7)
15 Tavern (3)
17 Tell a story (7)
18 Small, square cases of dough with savoury fillings (7)
19 Sale of miscellany, often for charity (6)
21 Livid (5)
22 Mythical cave-dwelling creature (5)
24 Provide a remedy (5)

Across

1 Belvedere (6)

3 Sign, emblem (6)

7 Small, fast and heavily armed warship (9)

9 Exhibiting self-importance (8)

10 Tool used to cut and shape wood (4)

12 Circular frame with spokes (5)

13 Oddment (5)

17 Goad, poke (4)

18 Deity, god (8)

20 Person responsible for a collection of books (9)

21 Go on board (6)

22 Ring road (6)

Down

1 Grimy (6)

2 Infatuated (8)

4 Toy consisting of a spool that is reeled up and down (2-2)

5 Lime tree (6)

6 Debate (5)

7 Number of fatalities resulting from some particular cause (5,4)

8 Act of spreading outward from a central source (9)

11 Energetic movement, liveliness (8)

14 Be resistant to (6)

15 Basic unit of currency in many Arabian countries (5)

16 Text of a popular song (6)

19 Strap with a crosspiece on the upper of a shoe (1-3)

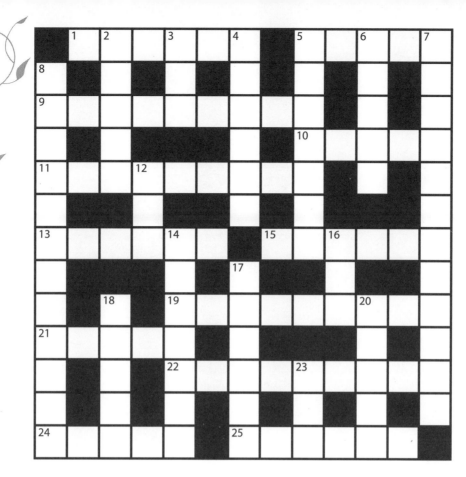

Across

1 Beat, as in music (6)
5 Spring flowering plant (5)
9 Equine footwear, considered lucky (9)
10 Jelly based on fish or meat stock (5)
11 Someone who cannot sleep (9)
13 Overall appearance (6)
15 Part of the eye (6)
19 Garden tool (9)
21 Nautical (5)
22 Inaccurate (9)
24 Put pressure on (5)
25 Special design or symbol (6)

Down

2 Egyptian falcon-headed god (5)
3 Golf peg (3)
4 Angora yarn (6)
5 Molasses (7)
6 Not smooth and even in texture (5)
7 Physician specializing in mental disorders (12)
8 Upholstered seat on which one may recline (6,6)
12 Be obliged to repay (3)
14 Gather together (7)
16 In addition (3)
17 Change direction abruptly (6)
18 Relating to sheep (5)
20 Entire (5)
23 Writing point of a pen (3)

29

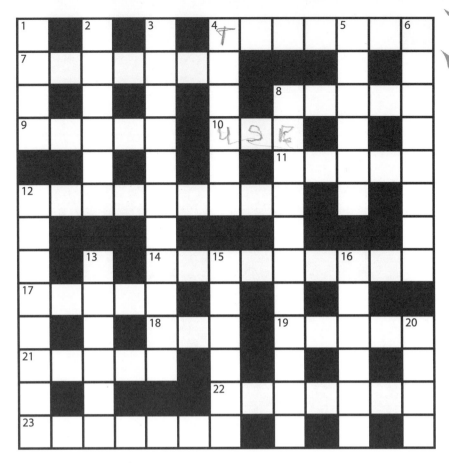

Across

4 Large drinking vessel (7)
7 Feed (7)
8 Titles (5)
9 Basin for washing one's private parts (5)
10 Purpose (3)
11 Musical which includes the songs *Tomorrow* and *It's the Hard Knock Life* (5)
12 Spiny, ocean-dwelling creature (3,6)
14 City in Spain (9)
17 Tropical lizard (5)
18 Not allowed to continue to bat or run (3)
19 Relating to sea waves (5)
21 Lump, clod (5)
22 Standing up on the hind legs (7)
23 Salad vegetable (7)

Down

1 Rebuff (4)
2 Treeless, Arctic plain (6)
3 Volume of photographs or sketches (7,4)
4 Whilst (6)
5 Oval-shaped nut (6)
6 Impaired ability to learn to read (8)
8 Member of a hominid race once native to Earth (11)
12 Relating to a medical operation (8)
13 Mystic, supernatural (6)
15 Withdraw (6)
16 Consecrate (6)
20 Company emblem (4)

Across

7 Make a prediction about (8)

8 Colour (4)

9 Jog (4)

10 Feeling of grudging admiration and desire (4)

11 Seek an answer to (3)

13 Lure (5)

14 Special anniversary (7)

16 Container for small personal items (7)

18 Bed on board a ship (5)

21 Pigpen (3)

22 Sign of the future (4)

23 Territory (4)

25 Muscular back part of the leg (4)

26 Sodden, soaked (8)

Down

1 Crude (6)

2 Many-legged insect (9)

3 Republic on the south-western shores of the Arabian Peninsula (5)

4 Relish, tang (7)

5 Flow back (3)

6 Go in search of (6)

12 Hearth (9)

15 Manufactured, not occurring naturally (3-4)

17 Real (6)

19 Type of bicycle (6)

20 Mountain range in which Aconcagua stands (5)

24 Cancelled (3)

Across

1 Large building fortified against attack (6)
7 Getting to one's feet (8)
8 Popular vegetable (3)
9 Hunting expedition (6)
10 Region (4)
11 General conscious awareness (5)
13 Painter's board (7)
15 Agile performer (7)
17 Alternative (5)
21 Smooth-tongued (4)
22 Item of crockery (6)
23 Disorderly crowd of people (3)
24 Soonest (8)
25 Time of celebration in the Christian calendar (6)

Down

1 Island divided between Greece and Turkey (6)
2 Time of year (6)
3 Written composition (5)
4 Upper-case letter (7)
5 Bordering (8)
6 Small air-breathing arthropod (6)
12 Sphere of crushed ice flakes (8)
14 Female spirit who wails to warn of impending death (7)
16 Space where wines are stored (6)
18 Solitary man (6)
19 Thief who takes property from a person (6)
20 Cite a passage or saying (5)

Across

1 Desired (5)
4 White ant (7)
7 Extreme state of adversity (5)
8 Pennant (8)
9 Home of a beaver (5)
11 Deadening a sound, especially by wrapping (8)
15 Turtle's shell (8)
17 Bait (5)
19 Witch's brewing pot
20 Largest city in Bolivia (2,3)
21 Goddess of retribution (7)
22 Companies (5)

Down

1 Female domestic (9)
2 Decay with an offensive smell (7)
3 Fiasco (7)
4 Inn (6)
5 Field where grass is grown (6)
6 Object (5)
10 Avidity (9)
12 Officer of the court (7)
13 Object that impedes free movement (7)
14 Team spirit (6)
16 Counting frame (6)
18 Rub out (5)

Across

1 Come into view once more (8)
5 Applaud (4)
8 Police force of Canada (coll) (8)
10 It begins after 31 December (3,4)
11 Enticements (5)
12 Act of putting someone into a trance (9)
15 Forced against one's will (9)
18 Unit of weight (5)
19 White-faced clown (7)
22 Whipping (eggs or cream, for example) (8)
23 Waterside plant (4)
24 Transparent gem (8)

Down

1 Make a low noise, like thunder (6)
2 Fish tank (8)
3 Compound often used in agriculture and industry (6)
4 Chief port of Yemen (4)
6 Strong positive emotion (4)
7 Organized persecution of an ethnic group (6)
9 Meeting of spiritualists (6)
13 Colour (6)
14 Individuality (8)
15 Metallic reddish-brown element (6)
16 English county (6)
17 Elevation (6)
20 Republic of Ireland (4)
21 Those people (4)

Across

1 Not clear (6)
5 Laugh nervously (6)
8 Sicilian volcano (4)
9 Get back (8)
10 Anaemic-looking (5)
11 Express strong disapproval of (7)
14 Debacle (6)
15 Breath out (6)
17 Free pardon (7)
19 Hitches (5)
21 Merry-go-round (8)
23 Public violence (4)
24 Greek goddess of wisdom (6)
25 Most senior (6)

Down

2 Soft silver-white metallic element, symbol K (9)
3 Christian sect founded by George Fox (7)
4 Colour of unbleached linen (4)
5 Collected (8)
6 Cook by radiated heat (5)
7 Bulgarian monetary unit (3)
12 God-fearing (9)
13 Body of water to the east of Great Britain (5,3)
16 Number in one century (7)
18 Wear away (5)
20 Hint (4)
22 Social insect (3)

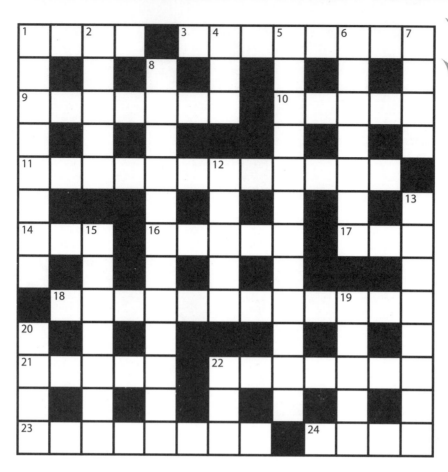

Across

1 Soft moist part of a fruit (4)

3 Underbodice (8)

9 Indicate by signs, predict (7)

10 Assumed name (5)

11 Detailed mathematical operation (4,8)

14 Crib (3)

16 Ms Campbell, model (5)

17 Source of metal (3)

18 Property of something that can be pervaded by a liquid (12)

21 Parson (5)

22 Of the greatest importance, vital (7)

23 Habitually exploiting (8)

24 Wearing footgear (4)

Down

1 People in general (8)

2 Sophia ___, Italian film actress (5)

4 Sum up (3)

5 Presaging ill-fortune (12)

6 South American river which flows into the Atlantic (7)

7 Compass point (4)

8 Piece of music played when a bride walks down the aisle (7,5)

12 Type of pansy (5)

13 Reprocessed (8)

15 Dark, sticky substance made from sugar (7)

19 Native of Dublin, for example (5)

20 Extremely wicked (4)

22 Is able to (3)

Across

1 Quantity of paper equal to 500 sheets (4)

3 Unworried (8)

7 Doing things without the assistance of others (4-4)

8 Sudden forceful flow (4)

9 Tool resembling a hammer (6)

10 Catch in a snare (6)

11 Origin (5)

12 Bear, convey (5)

15 Narrative song (6)

18 Put up with something unpleasant (6)

19 Sturdy upright pole (4)

20 Quarrelled noisily or disruptively (8)

21 Fruit preserved by cooking with sugar (8)

22 Detect (4)

Down

1 Take up or begin anew (6)

2 Silencer (7)

3 World's swiftest mammal (7)

4 Indian currency unit (5)

5 Initial (5)

6 Rapture (7)

11 Bluster (7)

12 Waterfall (7)

13 Exile who flees for safety (7)

14 Man ___, companion to Robinson Crusoe (6)

16 Asian water lily (5)

17 Estate to which a wife is entitled on the death of her husband (5)

Across

1   Facet (6)
7   Constitutional monarchy in north-west Africa (7)
8   Tall cylindrical vertical support for a structure (6)
9   Pasta 'cushions' (7)
10 Ornamental plaster used to cover walls (6)
13 Country, capital Khartoum (5)
15 Female relative (4)
16 Percussion instrument (4)
17 Nuclear weapon (1-4)
18 Plaid associated with Scotland (6)
21 Declare or judge unfit (7)
23 On fire (6)
24 Relieve an itch (7)
25 Takes an oath (6)

Down

2   Fire a gun (5)
3   Child's magazine (5)
4   Roster of names (4)
5   Herb with aromatic parsley-like leaves and seed (9)
6   Officer of the law (9)
10 Series of steps (9)
11 Large and important church (9)
12 European capital city once called Christiania (4)
14 Amount owed (4)
19 Permit (5)
20 Find repugnant (5)
22 A great deal (4)

Across

1 Routes (5)
4 Very old (7)
8 Be larger in quantity (9)
9 Dense (5)
10 City in Scotland (9)
13 Plain-woven cotton fabric (6)
14 Comment (6)
16 Blue-green colour (9)
19 Infectious disease (5)
20 Region in South America between the Andes and the South Atlantic (9)
22 Thin sheet of filled dough rolled and baked (7)
23 Language of ancient Rome (5)

Down

1 Pulpit (7)
2 Manager of a business or school (13)
3 Uttered (5)
4 Fitting (3)
5 Tiny morsel of bread or cake (5)
6 Shame felt when a guilt is made public (13)
7 Portable light (5)
11 Wild dog of Australia (5)
12 Police informers (5)
15 Soft leather (7)
16 Varieties (5)
17 Pressed (5)
18 Electronic message (5)
21 Nought (3)

39

Across

1 Well-known Christmas carol (6,5)
7 Select as an alternative (3)
8 Renounced the throne (9)
9 Prepared dough (7)
11 Raising agent (5)
14 Uses a broom (6)
15 Marked by hardheaded intelligence (6)
16 Exceed (5)
19 Devoid of good sense or judgment (7)
21 Functioning effectively (9)
23 Rod used to play snooker (3)
24 Tried again (11)

Down

1 Crude dwelling (5)
2 First name of actor Wallach (3)
3 Cut through or across (8)
4 Light-headed (5)
5 Kingdom in the South Pacific (5)
6 Frighten (7)
10 In the lead (5)
12 Praise, glorify (5)
13 Petrol (8)
14 Principal organ of digestion (7)
17 River which flows through Rome (5)
18 Musical entertainment (5)
20 Despised (5)
22 Little rascal (3)

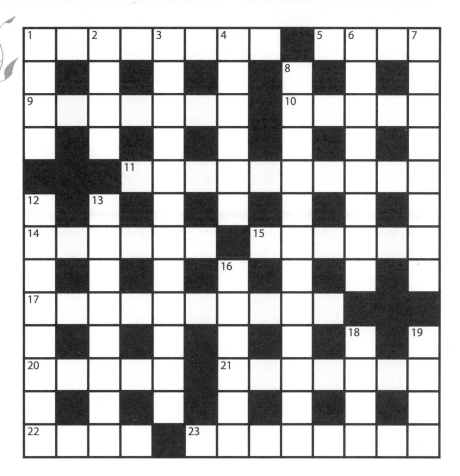

Across

1 Clapping (8)

5 Asian plant widely cultivated for its oily beans (4)

9 Outfit (clothing and accessories) for a new baby (7)

10 Ingested (5)

11 Yellow foodstuff often eaten at breakfast time (10)

14 City in Ontario (6)

15 Secret or hidden (6)

17 Steadiness of mind under stress (10)

20 Board used as a planchette (5)

21 Not affected by emotion (7)

22 Name of the dog in *Peter Pan* (4)

23 In one's mind (8)

Down

1 Wheel shaft (4)

2 Settles up (4)

3 Siesta (9,3)

4 Inhabitant of the Tibetan Himalayas (6)

6 Pushed out (8)

7 Supply with critical comments (8)

8 Feeling of disgust at one's own person (4-8)

12 Once in a ___, very rare occurrence (4,4)

13 Solution obtained by steeping a substance (8)

16 Unsusceptible (6)

18 Elliptical (4)

19 Tense (4)

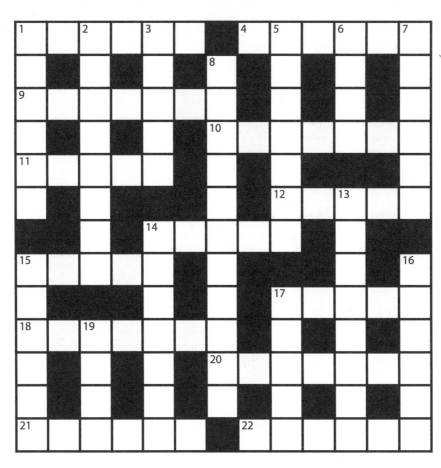

Across

1 Commotion (6)
4 Ship's officer who keeps accounts (6)
9 Branch of mathematics (7)
10 Expanded (7)
11 Lure (5)
12 Grilled bread (5)
14 Farm with facilities for livestock (5)
15 Correspondence in the sounds of two or more lines (5)
17 Bedtime beverage (5)
18 Harry ___, famous escape artist (7)
20 Fabric made of silk (7)
21 Native American tent (6)
22 Dealer, seller (6)

Down

1 Distilled wine (6)
2 Ability to make good judgments (8)
3 Pressure group (5)
5 Lacking refinement or cultivation (7)
6 Earth (4)
7 Substance used to curdle milk in cheese-making (6)
8 Captivation, enchantment (11)
13 Air-breathing arthropod (8)
14 Mitigate (7)
15 Warm up again (6)
16 Marketplace (6)
17 Tobacco product (5)
19 Egg on (4)

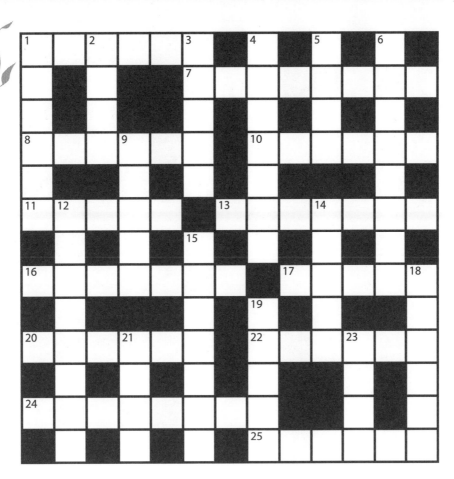

Across

1 Objective (6)

7 Indian or African animal (8)

8 Amount of time (6)

10 State of being held in high esteem and honour (6)

11 Evade (5)

13 Aggressive and violent young criminal (7)

16 *Don ___*, story by Miguel de Cervantes (7)

17 Country, capital Port-au-Prince (5)

20 Type of salad, served with croutons (6)

22 Bandit (6)

24 Microscopic organisms that exist in great numbers in the oceans (8)

25 Yarn (6)

Down

1 House of worship (6)

2 Stand up on the hind legs (4)

3 Toy bear (5)

4 Sleeping chamber (7)

5 Seagoing vessel (4)

6 Teach (8)

9 Alphabetical listing of topics and page numbers (5)

12 Worthy of high praise (8)

14 Preliminary sketch (5)

15 Repeat (7)

18 Direction leading to the centre (6)

19 Climb (5)

21 Produce tones with the voice (4)

23 Queue (4)

Across

1 Common seasoning (6)
7 Left to personal choice (8)
8 Pay increase (4)
10 Seat for the rider of a horse (6)
11 Melt (4)
12 Frown (5)
13 Mouldable synthetic substance (7)
16 Cases to carry (7)
18 Thicket (5)
21 Incinerate (4)
23 Glitter (6)
25 Extinct bird of Mauritius (4)
26 Greenwich ___, also known as UTC (4,4)
27 Loud and disturbing noise (6)

Down

1 Able to absorb fluids (6)
2 Succeed in an examination (4)
3 Disturbing the public peace (5)
4 Shakespearean play (7)
5 Part of a lock (4)
6 The Aloha State of the USA, famous for its volcanic mountains (6)
9 Common garden insect (6)
14 Gained points in a game (6)
15 Image boost (3-4)
17 Insightfulness (6)
19 Send (goods) abroad (6)
20 Facial expression of contempt (5)
22 Not any (4)
24 Secure (4)

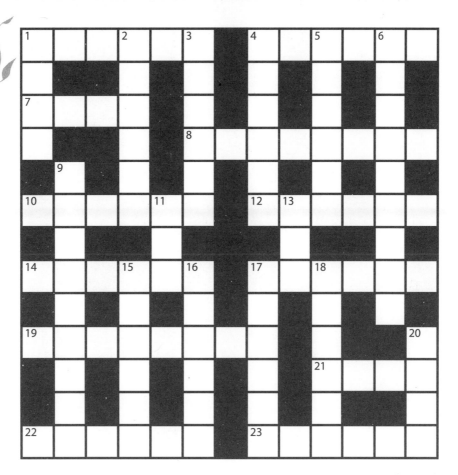

Across

1 Meal to which guests help themselves (6)

4 Yellow-flowered tropical tree (6)

7 Marine crustacean (4)

8 Bleached (8)

10 Guiding light (6)

12 Piece sliced from a larger piece (6)

14 Order of business (6)

17 Put down by force (6)

19 Hard Italian cheese, often grated (8)

21 Second letter of the Greek alphabet (4)

22 Cross-breed (6)

23 Beefeater (6)

Down

1 Mature male antelope (4)

2 Material (6)

3 Country formerly known as Formosa (6)

4 American republic (6)

5 Me (6)

6 Very difficult and demanding much energy (9)

9 Study of the earth (9)

11 Elderly (3)

13 Feverish cold (3)

15 Figure (6)

16 Preposterous (6)

17 Sound powers of mind (6)

18 Woody tropical grass (6)

20 Conceited (4)

Grid entries (handwritten): P U P A | R E P O R T E R

Across

1 Insect between larva and adult stage (4)
3 Person who investigates news stories (8)
9 Set free (7)
10 Uncouth (5)
11 Measure the depth of something (5)
12 Diabetic drug (7)
13 Educated (6)
15 Quarter (6)
18 Abusive attack on a person's character or good name (7)
19 Atrocious (5)
21 Board used to spell out supernatural messages (5)
22 Small kangaroo (7)
23 Vied against (8)
24 Introduce to solid food (4)

Down

1 Low wall along the edge of a roof (7)
2 Seasoned, colourful rice (5)
4 Medicine that induces vomiting (6)
5 Not very often (12)
6 Fishing boat that uses a dragnet (7)
7 Plant substance (5)
8 Main dietary component (12)
14 Radioactive metallic element (7)
16 Idyllically calm and peaceful (7)
17 Look around casually and randomly (6)
18 Unemotional person (5)
20 Supporting structure (5)

Yes!

46

Across

1 Most tidy (7)
5 Young dog (5)
7 Imitate (5)
8 Person whom Jesus raised from the dead (7)
9 Earnest (7)
10 Distinctive smell (5)
11 Small pouch for shampoo, etc (6)
13 North American native dog (6)
18 Large ladle (5)
20 Altered (7)
21 Volcanic island republic in Melanesia (7)
22 Interior (5)
23 Method of beginning play in rugby (5)
24 Flourish of trumpets (7)

Down

1 Greek goddess of divine retribution and vengeance (7)
2 Yearbook (7)
3 Eliminate from the body (7)
4 Spoke (6)
5 Italian thin bread dough with topping (5)
6 Drop sharply (7)
12 Antiquated (7)
14 Enthusiastic recognition (7)
15 Fabric made of silk (7)
16 Certify (7)
17 Skin on the back part of the neck (6)
19 Song used to praise the Deity (5)

Across

1 Align oneself with (4)
3 Star-shaped symbol used in printing (8)
9 Feeling of deep and bitter anger and ill-will (7)
10 Subject matter of a conversation (5)
11 Item of clothing (5)
12 Pantry (6)
14 See to it (6)
16 Debacle (6)
18 Zodiacal constellation (6)
19 Not in any circumstances (5)
22 Regal dog, perhaps (5)
23 Tempted, lured (7)
24 Jeopardize (8)
25 Disparaging remark (4)

Down

1 Device that cuts documents into tiny pieces (8)
2 Blockhead (5)
4 Document that can be rolled up (6)
5 Greatly exceeding the bounds of reason or moderation (12)
6 Have an emotional or cognitive impact upon (7)
7 Deliver a blow with the foot (4)
8 Act of building something (12)
13 Passageway (8)
15 Blemished by injury (7)
17 Light wind (6)
20 Spoken (5)
21 Disease of the skin (4)

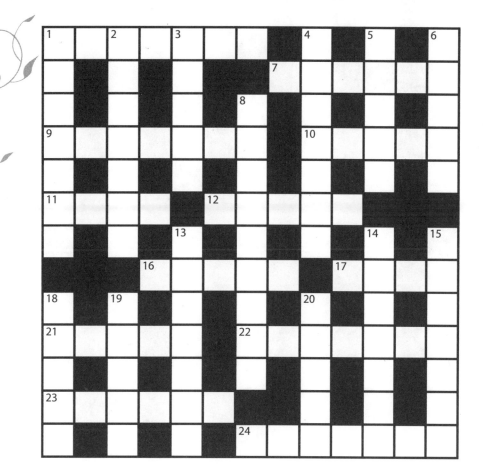

48

Across

1 Fictional character who rubs a magic lantern (7)
7 European sea (6)
9 Tennis 'referees' (7)
10 Ordered series (5)
11 Chance (4)
12 Greek tale teller (5)
16 In the area (5)
17 Flat mass of ice floating at sea (4)
21 Commonest liquid (5)
22 City in Canada (7)
23 Customers for a particular product or service (6)
24 Seemingly without end (7)

Down

1 Come into possession of (7)
2 Composed of animal fat (7)
3 Woman's marriage settlement (5)
4 Double-reed instrument (7)
5 Digress (5)
6 Spirally threaded cylindrical rod (5)
8 Artificial language (9)
13 Lodger (7)
14 Former president of the USA (7)
15 Spray can (7)
18 Marsh (5)
19 Tale (5)
20 Lawbreaking (5)

49

Across

1 Change, make different (6)
3 Capital of Albania (6)
7 Inflammatory disease (9)
9 Part of the small intestine (8)
10 Talk boastfully (4)
12 Holy book (5)
13 Oriental republic (5)
17 Lure (4)
18 Written account of ownership or obligation (8)
20 Conventional expression of farewell (9)
21 Copyist (6)
22 Look up to (6)

Down

1 *The* ___, Gilbert & Sullivan operetta (6)
2 Paternal (8)
4 Tiny amount (4)
5 Constellation, the Charioteer (6)
6 Contend (5)
7 Extremely painful (9)
8 Most unusual (9)
11 Raised one's shoulders to indicate indifference (8)
14 Calculating machine (6)
15 Breed of dog used for hunting (5)
16 Tap forcefully (6)
19 Explosive device (4)

Across

1 Next-to-last (11)

9 Proboscis of an elephant (5)

10 Constricting snake (3)

11 Sudden forceful flow (5)

12 Item of cutlery (5)

13 Edgy (8)

16 Volcanic explosion (8)

18 Lukewarm (5)

21 Sir ___ John, musician (5)

22 Have (3)

23 Greek epic by Homer (5)

24 One who lives a life of reason with equanimity (11)

Down

2 Mountain on the border of Tibet and Nepal (7)

3 Completely and without qualification (7)

4 Zodiacal sign (6)

5 Manufactures (5)

6 Inhibition or ban resulting from social custom (5)

7 Description of how something is to be done (11)

8 Care, upkeep (11)

14 Accelerate (5,2)

15 Error (7)

17 Failing in what duty requires (6)

19 Hit with the fist (5)

20 Bore a hole (5)

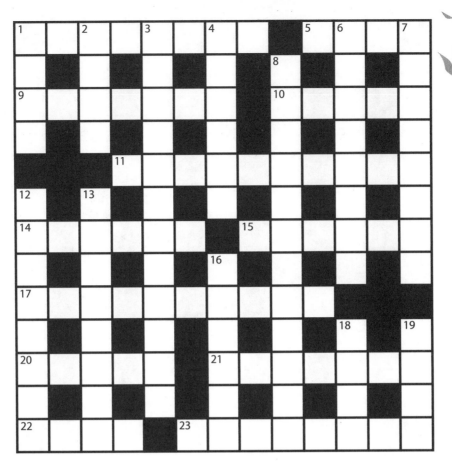

Across

1 Writ issued by court authority to compel the attendance of a witness (8)

5 ___ Stravinsky, Russian composer (1882-1971) (4)

9 Juicy fruit (7)

10 Medical 'photographs' (1-4)

11 Tending to promote physical wellbeing (10)

14 Narcotic drug (6)

15 Brokers (6)

17 Mercy killing (10)

20 Designation (5)

21 Make more attractive (7)

22 Measure of three feet (4)

23 Condition of having no hair (8)

Down

1 Make a pretence (4)

2 Brought into existence (4)

3 Masterminded, engineered (12)

4 Popular spice (6)

6 Slope (8)

7 Edgy (8)

8 Quenched (12)

12 In truth (8)

13 Absolute ruler (8)

16 Equipment for taking pictures (6)

18 Formerly (4)

19 Rudolf ___, WWII Nazi leader (4)

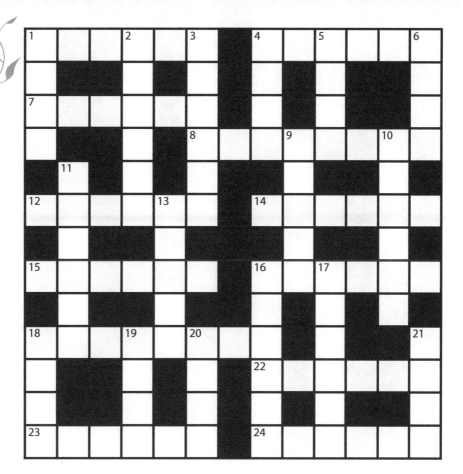

Across

1 Parasitic plant (6)
4 Royal residence (6)
7 Opera set in a cigarette factory (6)
8 An indirect (and usually malicious) implication (8)
12 People descended from a common ancestor (6)
14 On a plane (6)
15 Catch fire (6)
16 Offshoot (6)
18 Fireproof material (8)
22 Arab kingdom on the Persian Gulf (6)
23 Decayed (6)
24 Fibre (6)

Down

1 Reality (4)
2 Star sign (6)
3 Rationality (6)
4 Design (4)
5 Misplace (4)
6 EU monetary unit (4)
9 Deep brown (5)
10 Straightforward (6)
11 Makes a sound expressing amusement (6)
13 Egyptian water lily (5)
16 Woven shopping bag (6)
17 Solution (6)
18 Affirm (4)
19 Prepare for publication (4)
20 Twist around (4)
21 Rivet (4)

53

Across

1 Caerphilly or Gouda, for example (6)
7 Love story (7)
8 Bloom (6)
9 North Star (7)
10 Critical evaluation (6)
13 Containing nothing (5)
15 Raised platform (4)
16 Long-necked bird (4)
17 Pucker (5)
18 Bunch of cords fastened at one end (6)
21 Run or flow slowly, as in drops (7)
23 Have the financial means to buy something (6)
24 Eight-legged sea creature (7)
25 Arouse or elicit a feeling (6)

Down

2 Cut in two (5)
3 Military blockade (5)
4 "Dead as a ___" (4)
5 Loss of the ability to move a body part (9)
6 Employees (9)
10 Decrease, diminution (9)
11 High ranking police officer (9)
12 Dam (4)
14 Versifier (4)
19 Stick on (5)
20 Type of heron (5)
22 At high volume (4)

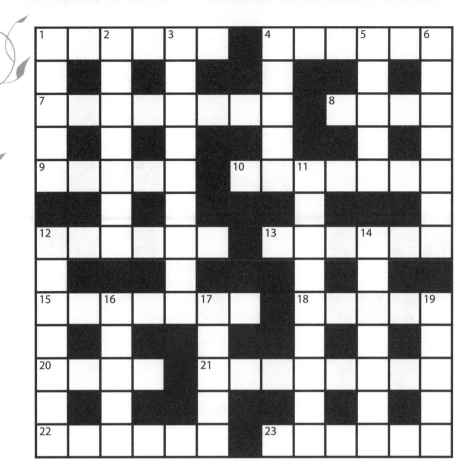

Across

1 Application program that uses the client's web browser to provide a user interface (6)

4 Fibre used in making hats and baskets (6)

7 Prediction uttered under divine inspiration (8)

8 Bother (4)

9 Ascent (5)

10 Oval (7)

12 Underground cells (6)

13 Oxen, eg (6)

15 Involuntary vibration (7)

18 Warm and damp (atmosphere) (5)

20 Burden (4)

21 Extremely poisonous (8)

22 Cured herring (6)

23 Recompense (6)

Down

1 Savoury jelly (5)

2 Unusually gifted or intelligent (young) person (7)

3 Put on show (9)

4 Regal (5)

5 Dowdy woman (5)

6 Morally strict (7)

11 Highly offensive, arousing aversion or disgust (9)

12 Ankle-length black garment worn by a priest (7)

14 Lottery in which tickets are drawn from a revolving drum (7)

16 Appropriate (5)

17 Young of an eel (5)

19 Drugged (5)

55

Across

1 Wonder (6)
4 Larva of the housefly (6)
9 Indication, usually of a disease (7)
10 Famous American waterfalls (7)
11 Capable of flowing (5)
12 Smallest amount (5)
14 Superior (5)
15 French city on the Seine (5)
17 Length of sawn timber (5)
18 Rainy season (7)
20 Braincase (7)
21 Illness (6)
22 Eagerly (6)

Down

1 Wretchedness (6)
2 Aid to memory (8)
3 Debut (5)
5 Approachable (7)
6 Spanish artist who painted *The Witches' Sabbath* (4)
7 Someone who pays rent to use a building (6)
8 State of having unlimited power (11)
13 Erosion by friction (8)
14 Astonish (7)
15 Decoration consisting of a ball of tufted wool (6)
16 Containing little excess (6)
17 Rigid layer of the Earth's crust (5)
19 ___ Sedaka, singer of *Oh Carol* (4)

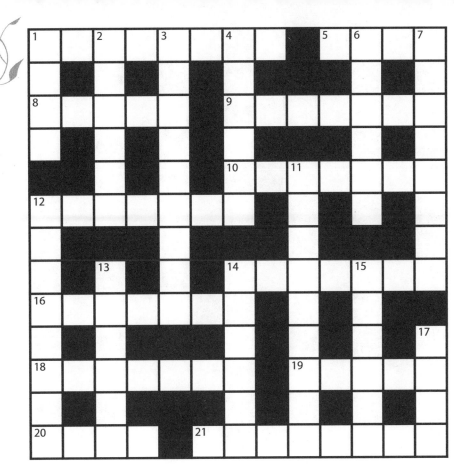

Across

1 Effete (8)

5 Bazaar (4)

8 Natives of Geneva, for example (5)

9 Wild dabbling duck (7)

10 Involvement (7)

12 Waterfall (7)

14 Pupil (7)

16 Coroner's court (7)

18 Disposed to please (7)

19 State in north-eastern India (5)

20 Novel by Jane Austen (4)

21 Regarded highly (8)

Down

1 Move with great haste (4)

2 Total disaster (6)

3 Worthy of being chosen (9)

4 Spry (6)

6 Slip by (6)

7 Imperil (8)

11 The largest city in the state of Alaska (9)

12 Unmarried person who has taken a religious vow of chastity (8)

13 Wriggle (6)

14 Strain (6)

15 Gracefully slender (6)

17 Surrounded by (4)

Across

1 Administrative division of a country, eg Switzerland (6)
5 Reaping hook (6)
8 Long narrow inlets of the sea in Norway (6)
9 Item of dried fruit (6)
10 Yelp (3)
11 Baked to a cinder (5)
13 So scary as to cause shudders (8)
15 Culinary setting agent (8)
16 Black wood (5)
19 Demure (3)
21 Prime minister of India from 1966 to 1977 and 1980 to 1984 (6)
22 Rubbed out (6)
23 Protein which acts as a catalyst (6)
24 Country which shares a border with Egypt (6)

Down

2 Broke up from a meeting or gathering (9)
3 City in the Piedmont region of Italy (5)
4 Inquisitive (4)
5 Take unawares (8)
6 Deprive of the use of a limb (7)
7 Active volcano in Sicily (4)
12 Disingenuous (9)
13 Happen simultaneously (8)
14 Very fast (7)
17 Tony ___, UK Prime Minister (5)
18 Look at with amorous intentions (4)
20 Creature said to live in the Himalayas (4)

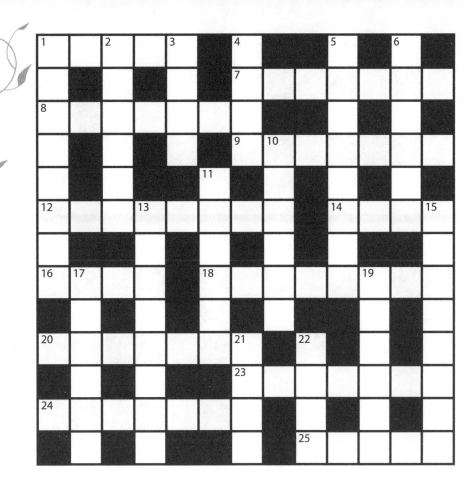

Across

1 Sharp bend in a road or river (5)

7 Study of the body (7)

8 Cutting into two pieces of equal size (7)

9 Set aside (7)

12 Intimate, cosy (8)

14 Closed circuit (4)

16 Obtains (4)

18 Capital of Jamaica (8)

20 Dolt (7)

23 Plunder (7)

24 At no particular moment (7)

25 Give way (5)

Down

1 Breathing out (8)

2 Opinion (6)

3 Stray animal (4)

4 Part of a book (4)

5 Act intended to arouse action (8)

6 Minute rudimentary plant contained within a seed (6)

10 Unwell (6)

11 Tobacco user (6)

13 No longer in use (8)

15 Thrown into a state of intense fear (8)

17 Resembling a horse (6)

19 Violent denunciation (6)

21 Sketched (4)

22 Alone (4)

59

Across

1 Whip used to inflict punishment (7)

5 Terminus (5)

8 Preserve by chilling (11)

9 Thick short innermost digit of the hand (5)

11 Leaving as a guarantee in return for money (7)

13 In need of food (6)

14 Very young children (6)

17 Ask earnestly (7)

18 Projection at the end of a piece of wood (5)

19 Acknowledgment, identification (11)

22 Person who is bound to the land and owned by the feudal lord (5)

23 Word formed from the initial letters of a multi-word name (7)

Down

1 Relieve an itch (7)

2 Goon (3)

3 Pay back (9)

4 Non-taxable (6)

5 Chemical which carries genetic information (inits) (3)

6 Exactness (9)

7 Fastening, knotting (5)

10 Abnormal (9)

12 More affluent (9)

15 Equivalent word (7)

16 Mark of disgrace (6)

17 Distinctive period of time (5)

20 Baby's bed (3)

21 Particle that is electrically charged (3)

Across

1 Reproduction (7)
5 Greased (5)
8 Going about to look at places of interest (11)
9 Frogman (5)
11 Not properly maintained, slovenly (7)
13 Meal served in the evening (6)
14 Woman with fair skin and hair (6)
17 Pin used in bowling (7)
18 Scrooge (5)
19 Meeting arranged in advance (11)
22 Moved slowly and stealthily (5)
23 Thin varnish used to finish wood (7)

Down

1 Lived (7)
2 Hog (3)
3 Hinder the progress of (9)
4 Boulevard (6)
5 Kimono sash (3)
6 Tough fibrous tissues connecting bones or cartilages (9)
7 Finger or toe (5)
10 Expose to fresh air (9)
12 Metric unit of length (9)
15 Fickle (7)
16 Refutes (6)
17 Of sound (5)
20 Hole in the ground, usually deep (3)
21 Old cloth measure (3)

61

Across

1 Cause to feel resentment (5)
4 Applies the mind to learning (7)
8 Sporting dog (7)
9 Chocolate powder (5)
10 Defence plea of being elsewhere (5)
11 European republic on the Baltic Sea (7)
12 ___ Twist, Dickens character (6)
13 Creative person (6)
16 Painfully desirous of another's advantages (7)
18 Norse goddess of love (5)
20 Mount (5)
21 Showing the wearing effects of overwork (7)
22 Frank ___, American actor and singer (7)
23 Vote into office (5)

Down

1 Shaped and dried dough (5)
2 Statement that limits or restricts some claim (13)
3 Building (7)
4 Tray for serving food or drinks (6)
5 Not censored (5)
6 Lacking regard for the rights or feelings of others (13)
7 Material used to form a hard coating on a porous surface (7)
12 Items (7)
14 Exile who flees for safety (7)
15 Respiratory disorder (6)
17 Eye socket (5)
19 Scrutinize accounts (5)

Across

1 Yield to another's wish or opinion (5)

5 Young male horse (4)

7 Dropsy (6)

8 Legerdemain (5)

9 Abductor (9)

10 Neither (3)

11 Killed in large numbers (9)

15 Proposed for appointment to an office (9)

19 Pertinent (3)

20 Insert commas, full stops, etc (9)

21 Means for communicating information (5)

22 Small (6)

23 Witnessed (4)

24 Be afraid of (5)

Down

1 Say's Law: Supply creates its own ___ (6)

2 Diagram illustrating textual material (6)

3 Swayed back and forth (6)

4 During the intervening period (8)

5 Saltwater lake between Iran and Russia (7)

6 Young hare (7)

12 Judge the worth of something (8)

13 Capable of being dissolved in liquid (7)

14 Sixteenth president of the USA (7)

16 Considered, viewed as (6)

17 Stick of wax with a central wick (6)

18 Filament (6)

Across

1 Apex (4)
3 Music tape container (8)
9 Standard or typical example (7)
10 Plenty (5)
11 Dialogue (12)
14 Brownie (3)
16 Earlier in time (5)
17 ___ Khan, Islamic religious leader (3)
18 Moving to a different position (12)
21 Excessively fat (5)
22 Irresponsibly frivolous (7)
23 Ability (8)
24 Consistent with fact or reality (4)

Down

1 One who gives a sermon (8)
2 Foreigner, stranger (5)
4 Expert (3)
5 Forgetful person (12)
6 Milk pudding ingredient (7)
7 Garden of Adam and Eve (4)
8 Defendant charged with adultery in a divorce proceeding (2-10)
12 Inhale audibly through the nose (5)
13 Ornamental waterspout (8)
15 Become alcohol (7)
19 Fluid product of inflammation (5)
20 Popular carbonated drink (4)
22 Cult (3)

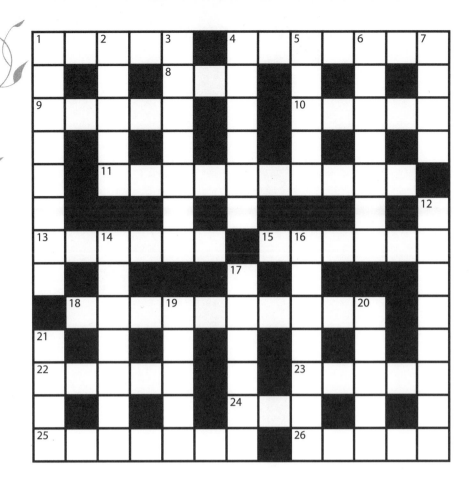

Across

1 Rigidly formal (5)
4 Umbrella which provides a source of shade (7)
8 Field suitable for grazing by livestock (3)
9 Capital of Ecuador (5)
10 Deserve (5)
11 Badly or incompetently handled (10)
13 Thick and smooth, soupy (6)
15 Tall graceful breed of hound (6)
18 Overflowing with enthusiasm (10)
22 Intends (5)
23 Block of metal (5)
24 Be in a horizontal position (3)
25 Sawhorse used in a pair to support a horizontal table top (7)
26 Helicopter propeller (5)

Down

1 Following of one thing after another (8)
2 Dialect (5)
3 Goods lost at sea (7)
4 Social outcast (6)
5 Cuban dance (5)
6 Sharp piercing cry (7)
7 Narrow thin strip of wood (4)
12 Someone from whom you are descended (8)
14 Clasp another person in the arms (7)
16 More amusing (7)
17 Small spot on the skin (6)
19 Hungarian composer (5)
20 The sum of four plus four (5)
21 Fungus producing black spores, which affects plants (4)

65

Across

1 Mud or small rocks deposited in an estuary (4)

3 Writes music (8)

9 Strong post for attaching a mooring line (7)

10 Low land that is seasonally flooded (5)

11 Prickly desert plants (5)

12 Lacking professional skill (7)

13 Mar (6)

15 Iran, formerly (6)

17 Medical care (7)

18 For all (music) (5)

20 Animal similar to the giraffe (5)

21 Compunction (7)

22 Most unforgiving (8)

23 Child's horse (4)

Down

1 Pledged contributions (13)

2 Fragrant bushy plant (5)

4 Severe or trying experience (6)

5 Token that mailing fees have been paid (7,5)

6 Drools (7)

7 To the highest possible degree (13)

8 Development that complicates a situation (12)

14 Short introductory essay preceding the text of a book (7)

16 Island in the eastern Mediterranean (6)

19 Trunk (5)

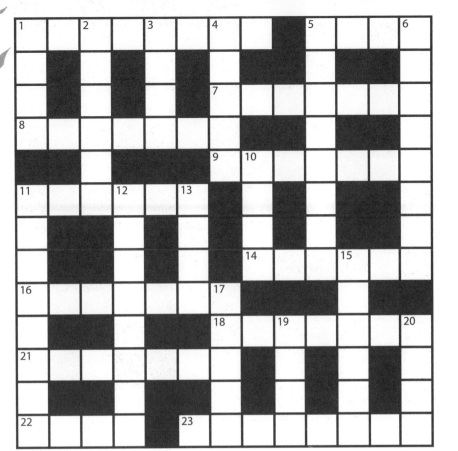

66

Across

1 Answer (8)

5 Salt of carbonic acid, used in soap powders (4)

7 This evening (7)

8 Habitual method of procedure (7)

9 Rotten (7)

11 Irony (6)

14 Price for some article (6)

16 Fetched (7)

18 Unexceptional (7)

21 Conspicuous (7)

22 Rare gas (4)

23 Popular soft drink (8)

Down

1 Rise rapidly (4)

2 Destructive relative of the grasshopper (6)

3 Cab (4)

4 Decided (5)

5 Country formerly known as Ceylon (3,5)

6 Counter to a poison (8)

10 Long narrative poem (4)

11 Obstinate (8)

12 Conjuring trick (8)

13 Individually (4)

15 African country, capital Kigali (6)

17 Appreciation (5)

19 Reverberation (4)

20 North American lake (4)

67

Across
1 Putrefied (6)
7 Groping, irresolute (8)
8 Mastermind (6)
10 State capital of Tasmania (6)
11 Home (5)
13 Wash (7)
16 Socially awkward or tactless act (4,3)
17 Rope used to restrain an animal (5)
20 Spit (6)
22 Deer's horn (6)
24 Winter month (8)
25 Vilification (6)

Down
1 Mark of infamy (6)
2 Leave as a guarantee in return for money (4)
3 Part of the body between the neck and the diaphragm (5)
4 Bituminous pitch (7)
5 Cigarette end (4)
6 Puts into the care of someone (8)
9 List (5)
12 Body of water to the east of Bulgaria (5,3)
14 Vigilant (5)
15 Kenyan capital (7)
18 Loose woman (6)
19 Native New Zealander (5)
21 Watery part of milk separated from the curd in making cheese (4)
23 Stead (4)

Across

1 Maker of sweets and candies (12)
9 Foreign (5)
10 Immature insect (5)
11 Hawaiian floral garland (3)
12 Reddish-brown dye used mostly on hair (5)
13 From one side to the other (7)
14 Put to rights (6)
16 Large underground chamber (6)
20 Lewis ___, pen name of Charles Dodgson (7)
22 Provoke someone to do something through promises or persuasion (5)
24 Flurry (3)
25 Haywire (5)
26 Slice of pig's meat (5)
27 Popular Chinese sauce (5-3-4)

Down

2 Constellation with a Great Nebula (5)
3 Country, capital Helsinki (7)
4 Soft decayed area in a tooth (6)
5 Waster (5)
6 Bring up (7)
7 Attain (5)
8 Quite (6)
15 Accumulation deposited by a glacier (7)
17 Public transport vehicle (7)
18 Observing (6)
19 Loud horn formerly used on motor vehicles (6)
20 Caste (5)
21 Beginning (5)
23 Former Portuguese province on the south coast of China (5)

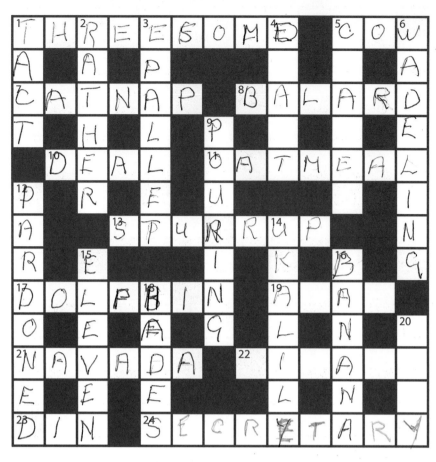

Across

1 Trio (9)

5 Ruminant (3)

7 Short sleep (6)

8 Song (6)

10 Distribute playing cards (4)

11 Porridge ingredient (7)

13 Equestrian footrest (7)

17 Large, ocean-dwelling creature (7)

19 US state between Nevada and Colorado (4)

21 US state in which Las Vegas is located (6)

22 Disputation (6)

23 Commotion (3)

24 Head of an administrative department of government (9)

Down

1 Diplomacy (4)

2 Somewhat (6)

3 Shoulder-ornament (7)

4 Order by virtue of superior authority (5)

5 More frigid (6)

6 Walking like a duck (8)

9 Deluge (7)

12 Excused, let off (8)

14 Small guitar with four strings (7)

15 Number written as XI in Roman numerals (6)

16 Long, yellow fruit (6)

18 God of the underworld in Greek mythology (5)

20 Extremely (4)

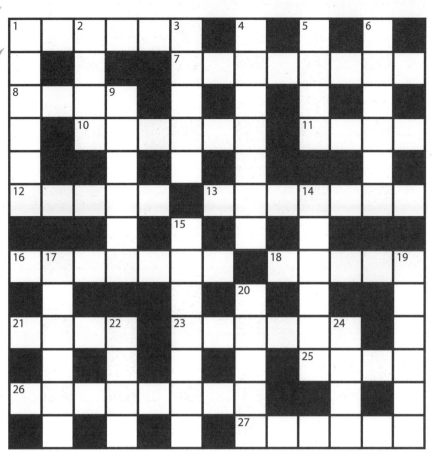

Across

1 Failures (6)
7 Land covered with trees and shrubs (8)
8 Implores (4)
10 The USA's Aloha State (6)
11 Fabric made from the hair of sheep (4)
12 Low in stature (5)
13 Cut into pieces (7)
16 Unit of luminous intensity (7)
18 Red-breasted songbird (5)
21 Smallest particle in an element (4)
23 Adequate (6)
25 Female red deer (4)
26 Leant (8)
27 Clothing of a distinctive style (6)

Down

1 Identification tags (6)
2 Utterance made by exhaling audibly (4)
3 Blaspheme (5)
4 Song from *West Side Story* (7)
5 Misfortune (4)
6 No particular person (6)
9 Hallowed (6)
14 Farm tool used to prepare the soil prior to sowing (6)
15 Pasting (7)
17 Pay heed (6)
19 Ribbon-like strip of pasta (6)
20 Dutch ball-shaped cheese (5)
22 Offspring of a male donkey and a female horse (4)
24 Equipment for the reproduction of sound (2-2)

71

Across

1 Dash a liquid upon or against (7)
5 Decorate to make more attractive (5)
8 Beast of burden (3)
9 Helpful piece of advice (6,3)
10 Midday meal (5)
12 Lass (4)
13 Ditch (6)
15 Pellet of medicine (4)
17 Those people (4)
20 Consume (6)
22 One of five siblings born at the same time (4)
23 Bottomless pit (5)
25 Irrational (9)
26 Slang term for diamonds (3)
27 Consider (5)
28 Place for young plants (7)

Down

1 Decorated, rounded edging on a piece of cloth (7)
2 London football club (7)
3 Instructed (6)
4 Bobbin (4)
6 Great joy (7)
7 Country, capital Kathmandu (5)
11 Difficult concern (4)
14 Fury (4)
16 Sixteenth president of the USA (7)
18 Not functioning properly (7)
19 Baffling thing (7)
21 Maker and alterer of garments (6)
22 Bedcover (5)
24 Graphic symbol (4)

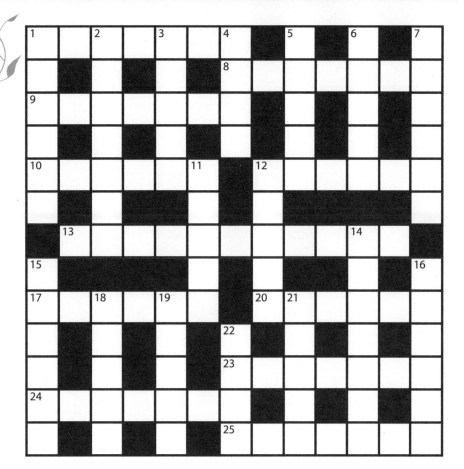

Across

1 Right (7)
8 Japanese art of flower arranging (7)
9 Obtain (7)
10 Responsible for a reprehensible act (6)
12 Go round (6)
13 At once (11)
17 To descend by rope (6)
20 Capital of Cuba (6)
23 Tapering stone pillar (7)
24 Sphere of vision (7)
25 Tiredness (7)

Down

1 Become different (6)
2 Mass celebrated for the dead (7)
3 Legally binding command (5)
4 Row or level (4)
5 Musical instrument (5)
6 Molten rock (5)
7 Theatrical dance routine (6)
11 Mountain call (5)
12 Limits within which something can be effective (5)
14 Being in charge of (7)
15 Hairdresser (6)
16 Fishing gear (6)
18 Less dangerous (5)
19 Muslim religion (5)
21 Proficient (5)
22 Predatory carnivorous canine (4)

Across

1 Come after (6)
5 Travelling show (6)
8 Instrument used in an attack (6)
9 Narrow steep-sided valley (6)
10 Nervous twitch (3)
11 Devotional song (5)
13 Ethnic (8)
15 Hand-held firework (8)
16 Black and white, bamboo-eating mammal (5)
19 Melancholy (3)
21 Soft wet area of low-lying land (6)
22 Adjust or accustom to (6)
23 Diminishes gradually to a point (6)
24 Liquid produced by a flower (6)

Down

2 Spent too long in bed (9)
3 Part of a collar (5)
4 Departed (4)
5 Round (8)
6 Government income due to taxation (7)
7 Canal which links the Red Sea to the Mediterranean (4)
12 Landlocked republic on the Balkan Peninsula (9)
13 Giant associated with Rhodes (8)
14 Type of warship (7)
17 Upstairs storage space (5)
18 Leave out (4)
20 Repair a worn hole, especially in a sock (4)

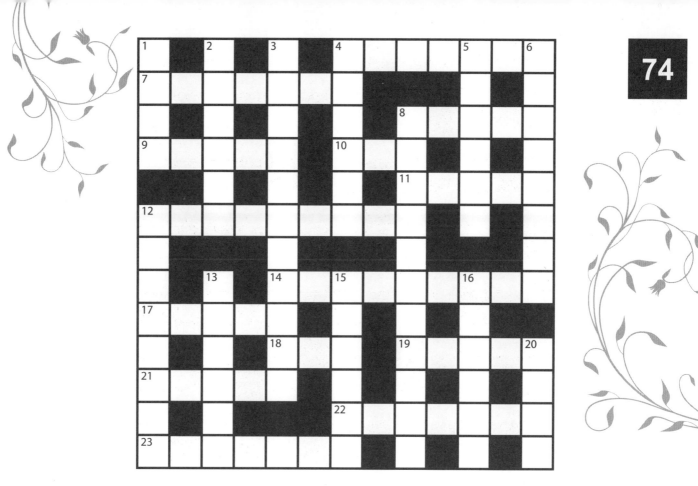

Across

4 Care (7)

7 South American river (7)

8 Measures of medicine (5)

9 Perpendicular (5)

10 Runner used for gliding over snow (3)

11 Casing (5)

12 Emotionally shocking (9)

14 Teaching by giving a discourse (9)

17 Bone of the leg (5)

18 Pitch (3)

19 Playing card in the suit that has been declared highest (5)

21 Plural of that (5)

22 Core, meaning (7)

23 Country, capital Beirut (7)

Down

1 Bird symbolising peace (4)

2 Picture house (6)

3 Think intently and at length (11)

4 Treat with excessive indulgence (6)

5 Brought out (6)

6 Young bird not yet fledged (8)

8 Lack of politeness (11)

12 Practising abstention from alcohol (8)

13 Assimilate or take in (6)

15 Opera by Georges Bizet (6)

16 Large grey-green lizard of tropical America (6)

20 Jetty (4)

Across

1 Polish (5)
4 Narrow platform along which models parade (7)
8 Mr Garfunkel, singer-songwriter (3)
9 Sink in (9)
10 Piece of cloth used to cover the head and shoulders (5)
11 Entangle (7)
13 European principality (13)
15 Acute intestinal infection (7)
17 Sugar topping on cake (5)
19 Tagliatelle (9)
21 Large nation (inits) (3)
22 Old name for the former capital of Burma (7)
23 Destitute (5)

Down

1 Substance from which window panes are made (5)
2 Desecrate (7)
3 Burial chamber (9)
4 Union of political organizations (13)
5 Toddler (3)
6 Small terrestrial lizard (5)
7 Citadel of Moscow (7)
12 Doubt about someone's honesty (9)
13 Beelzebub (7)
14 Gourmet (7)
16 Many times (5)
18 Meat juices (5)
20 Craft considered to have extraterrestrial origins (inits) (3)

Across

1 Ancient rolled document (6)

7 Having no weak points (8)

8 Cloistered woman (3)

9 Most fresh (6)

10 Sheltered and secluded place (4)

11 Order of Greek architecture (5)

13 Platform projecting from the wall of a building (7)

15 Receptacle used by smokers (7)

17 Fruit (5)

21 Destroy completely (4)

22 Item used to brew a popular drink (6)

23 Girl's name (3)

24 Practise (8)

25 Worked hard (6)

Down

1 Sailor of legend, who undertook seven voyages (6)

2 Participant in a race (6)

3 Identification tab (5)

4 Fine-toothed tool used to cut curved outlines (7)

5 Highest level or degree attainable (8)

6 Projected through the air (6)

12 Destined, planned (8)

14 Lamp (7)

16 Dish for holding a cup (6)

18 Sale in small quantities (6)

19 Sighed with tiredness (6)

20 Slant or surface (5)

Across

1 Eight-sided polygon (7)

6 Rim (3)

8 Characteristic of a sheep (5)

9 In the middle of (7)

10 Decree (5)

11 Colourful explosive device (8)

13 Second in command (6)

15 Walk silently (6)

18 Regal (8)

19 Seat (5)

21 Public-service corporation (7)

22 Spanish title of respect for a man (5)

23 Single-digit number (3)

24 Widely-spoken language (7)

Down

2 Blend together (7)

3 Unit of power (8)

4 Someone legally empowered to witness signatures (6)

5 US coin (4)

6 Lax (7)

7 Stance (7)

12 Becoming broader (8)

13 Movement downward (7)

14 Pablo ___, artist (1881-1973) (7)

16 Narcotic drugs derived from poppies (7)

17 Ripe (6)

20 Surface for ice skating (4)

Across

1 Remote place used by outlaws (8)
5 Cain's brother (4)
8 Country, capital Lhasa (5)
9 Republic at the eastern end of the Mediterranean (7)
10 Coarse-grained rock, often pink or grey in colour (7)
12 Cataract (7)
14 Country dwelling (7)
16 Christen (7)
18 Print anew (7)
19 Operate a vehicle (5)
20 Mother's sister (4)
21 Wild headlong rush of frightened animals (8)

Down

1 Dislike intensely (4)
2 Rubble, dust (6)
3 Italian appetizers (9)
4 Verbally report or maintain (6)
6 Brigand (6)
7 Women's underwear and nightclothes (8)
11 European city famous for diamond trading (9)
12 Capital of Australia (8)
13 One of a number of things from which only one can be chosen (6)
14 Material used to make concrete (6)
15 In operation (6)
17 In this place (4)

Across

1 In a state of sulky dissatisfaction (11)

7 Drug that produces numbness or stupor (8)

8 Make changes in text (4)

9 Growth of tissue (6)

11 Unchanging, static (6)

13 Furious (5)

14 Slang term for £1,000 (5)

17 Take into custody (6)

20 Sixth planet from the sun (6)

22 Desert in central Asia (4)

23 Bother, chafe (8)

24 Substitute (11)

Down

1 Signify (6)

2 Insectivorous terrestrial lizard (5)

3 Absolutely (7)

4 Parasitic arachnids (5)

5 Liquid used to stimulate evacuation (5)

6 Song of devotion or loyalty (6)

10 Small (5)

12 Family of languages widely spoken in southern Africa (5)

14 Relating to the stomach (7)

15 Armband (6)

16 Turn inside out (6)

18 Select class of people (5)

19 Experiment (5)

21 Carved pole associated with native North Americans (5)

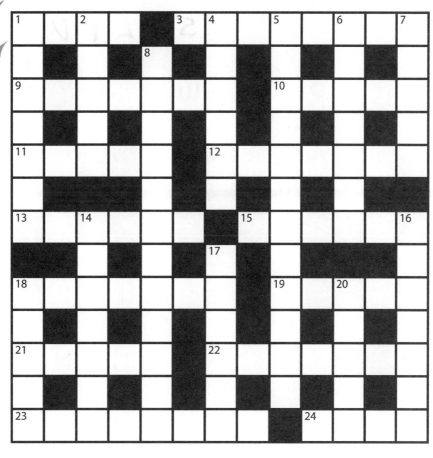

80

Across

1 Endorse (4)

3 Place of complete bliss (8)

9 Jemmy (7)

10 Flashlight (5)

11 Labourer who works below the ground (5)

12 Digits of the hand (7)

13 Digestive fluid (6)

15 Have a lofty goal (6)

18 Get in touch (7)

19 Native New Zealander (5)

21 Russian pancake (5)

22 Welfare (7)

23 Operator of a railway locomotive (8)

24 Ran away quickly (4)

Down

1 Turns into (7)

2 Ornamental jewelled headdress (5)

4 Off course (6)

5 Feeling of extreme surprise (12)

6 Native of Haifa, for example (7)

7 Distinctive spirit of a culture or an age (5)

8 Shortened form of a word or phrase (12)

14 Joining together (7)

16 Lived (7)

17 Building for housing horses (6)

18 Telegraph (5)

20 Trimmings of a butchered animal (5)

The completed crossword grid contains the following answers:

Across: QUEBEC, SALIVA, IBERIA, ... , DANUBE, ... , ... , BERLIN, FESTIVAL, LEGEND, PUPPET, TEDIUM

Across

1 Canadian province (6)
4 Fluid in the mouth (6)
7 Spain and Portugal (6)
8 Having no intelligible meaning (8)
12 *Blue* ___, famous waltz (6)
14 Season (6)
15 River which flows through Baghdad (6)
16 Capital of Germany (6)
18 Period of time set aside for feasting and celebration (8)
22 Fable (6)
23 Doll moved by strings (6)
24 Dullness owing to length or slowness (6)

Down

1 Examination of knowledge (4)
2 Administrative unit of government (6)
3 Accident (6)
4 Cut, as of wood (4)
5 *Star Wars'* Mr Skywalker (4)
6 Presidential assistant (4)
9 Thick messy substance (5)
10 Having a beautiful vista (6)
11 Relating to the sea (6)
13 Russian pancake (5)
16 Vote (6)
17 Rocky and steep (6)
18 Complete failure (4)
19 Ensnare (4)
20 Air-hole (4)
21 Biblical first man (4)

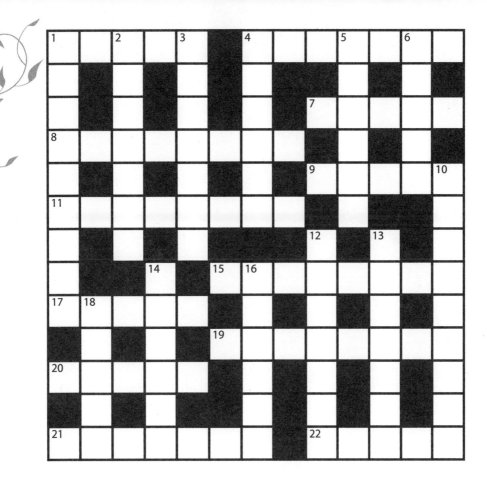

Across

1 Attitude, beliefs (5)
4 Persevere, endure (7)
7 Relating to birds (5)
8 Sweet almond paste used beneath the icing on cakes (8)
9 Surmise (5)
11 Adolescent (8)
15 Fish tank (8)
17 Stately (5)
19 Explosive device hidden underground (8)
20 Item in a written record (5)
21 French composer (1803-1869) (7)
22 Was unwell (5)

Down

1 Immunity from an obligation or duty (9)
2 Rushed (7)
3 Meeting for an exchange of ideas (7)
4 Castle (6)
5 Taste appreciatively (6)
6 Male deer (5)
10 Slept (9)
12 Large volcanic crater (7)
13 Wretched (7)
14 Form of a word used to denote more than one (6)
16 Crystal used in watches (6)
18 The snow leopard (5)

83

Across

1 Canadian capital (6)
8 Cooking utensil (8)
9 Shoves (6)
10 Selecting what seems best of various styles or ideas (8)
11 Mineral used to make plaster (6)
12 Had on loan (8)
16 Grotesquely carved figure (8)
18 Bad luck (6)
21 Computer package or program, for example (8)
23 Russian unit of currency (6)
24 Turning red with embarrassment (8)
25 Fertilized egg (6)

Down

2 Sincerely (5)
3 Longs for (5)
4 Group of persons gathered together for a common purpose (8)
5 Male of domestic cattle (4)
6 Nuclear plant (7)
7 Person born in a particular place (6)
11 Informal body of friends (4)
13 Appear again (2-6)
14 Moist (4)
15 Conceited, self-centred person (7)
17 Mythological god of light and day (6)
19 Firework that burns with a fizzing noise (5)
20 Narrow street with walls either side (5)
22 Angle between a stem and a leaf (4)

Across

7 Outraged, shocked (8)

8 Canal which links the Red Sea to the Mediterranean (4)

9 Concluding (4)

10 Put down (4)

11 Deity (3)

13 Wine-making fruit (5)

14 Slaughter (7)

16 Dressing for a wound (7)

18 Fable writer (5)

21 Morsel (3)

22 Render unconscious (4)

23 Equipment for a horse (4)

25 Celebration of the Eucharist (4)

26 Palpable (8)

Down

1 Liaison (6)

2 Many-legged insect (9)

3 Fully developed person (5)

4 Commander of a fleet (7)

5 Enquire (3)

6 Be owned by (6)

12 Speculative (9)

15 Foment (7)

17 Creature (6)

19 Mystic, supernatural forces (6)

20 Asinine (5)

24 Anti-tobacco organization (inits) (3)

85

Across

1 Feeling of envy (8)
5 Ditch around a castle (4)
8 Fraught with uncertainty (8)
10 Sugar found in milk (7)
11 Peers of the realm (5)
12 Wisdom or education (9)
15 Spaceman (9)
18 Join (5)
19 Sure (7)
22 Glancing rebound (8)
23 Conform (4)
24 Deceived, given away (8)

Down

1 Vibrate rapidly and intensively (6)
2 Star sign (8)
3 Dull-witted (6)
4 Psyche (4)
6 State of the USA: its tree is the buckeye and its capital Columbus (4)
7 Dish used for serving soup (6)
9 Four-wheeled covered carriage (6)
13 French impressionist painter (6)
14 In an appealing but bold manner (8)
15 Bird which lays eggs in other birds' nests (6)
16 Abnormal growth of cells (6)
17 Tried out (6)
20 Underdone (4)
21 World's longest river (4)

Across

1 Stabbing weapon (6)
5 Safe (6)
8 Structure commonly built of masonry (4)
9 Metal or paper medium of exchange (8)
10 Measure of the weight of a gemstone (5)
11 Device that produces electricity (7)
14 Relative position (6)
15 Origin (6)
17 Journalistic feature (7)
19 14 pounds (5)
21 Machine for performing calculations automatically (8)
23 Dismal, dour (4)
24 Died down (6)
25 Type of artisan (6)

Down

2 Onyx marble (9)
3 Brave (7)
4 Eastern staple foodstuff (4)
5 Weed infested sea (8)
6 Swindle (5)
7 Legendary bird (3)
12 Make peace, come to terms (9)
13 Kept apart (8)
16 Highly strung (7)
18 Energy supplied (5)
20 Harvest (4)
22 Sphere (3)

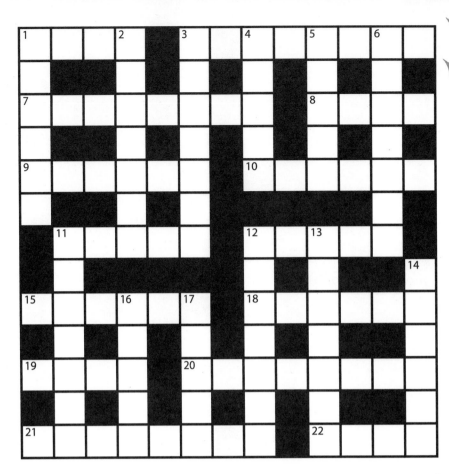

Across

1 Wormlike larva of certain beetles and other insects (4)
3 Lucky charm (8)
7 Haphazardly (8)
8 Gambling stake (4)
9 Cover against loss or damage (6)
10 Short descriptive summary of events (6)
11 Dogma (5)
12 Takes in by creating a vacuum (5)
15 Pester (6)
18 Sorrowful through loss or deprivation (6)
19 Expression used to frighten away animals (4)
20 Pliable (8)
21 Boaster (8)
22 Enemies (4)

Down

1 Burrowing desert rodent (6)
2 Member of a nomadic tribe of Arabs (7)
3 *The* ___, tragi-comic play by Shakespeare (7)
4 Stratum (5)
5 Joins in fabric (5)
6 Greek goddess of the hunt (7)
11 Instructor (7)
12 Field of study (7)
13 Capital of Wales (7)
14 Greek capital city (6)
16 In line with a length or direction (5)
17 Capital of Bulgaria (5)

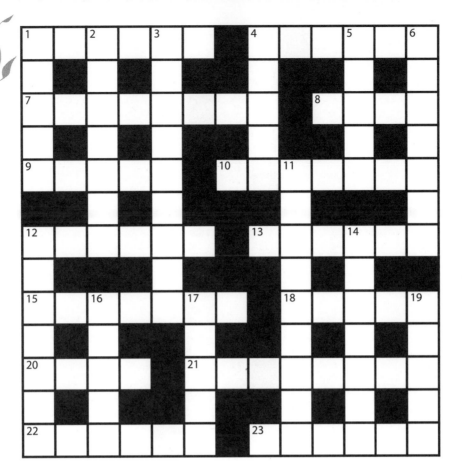

Across

1   Utter a harsh abrupt scream (6)
4   Wicked, unholy (6)
7   Strong green liqueur flavoured with wormwood and anise (8)
8   Unconscious state (4)
9   Dish on which food is served (5)
10 Clothing (7)
12 Stinging plant (6)
13 Expel from a country (6)
15 Denial (7)
18 Trick (5)
20 Remove from a position or office (4)
21 Kiss (8)
22 Pronouncing (6)
23 Alloy of tin with small amounts of other metals (especially lead) (6)

Down

1   Skin covering the top of the head (5)
2   Arrogant or presumptuous person (7)
3   'Good' king in the title of a Christmas carol (9)
4   Nap (5)
5   Main ingredient of bread (5)
6   Brochure (7)
11 Before due time (9)
12 On edge (7)
14 Pariah (7)
16 Stale and unclean smelling (5)
17 In accompaniment or as a companion (5)
19 Dispel gloom (5)

Across

1 Indisputable (4)
3 Makes a supposition (8)
9 Make less visible (7)
10 Perform without preparation (2-3)
11 Golf course by the sea (5)
12 Capable of being seen or noticed (7)
13 Agent creating and controlling things in the universe (6)
15 Scattered (6)
17 Congest (7)
18 Plants often found in arid regions of the world (5)
20 Occurring at regular intervals, seven times per week (5)
21 Closest (7)
22 With obstinate determination (8)
23 Framework (4)

Down

1 Having an exaggerated sense of self-importance (7-6)
2 Returned from the dead (5)
4 Stank (6)
5 Someone versed in the collection and interpretation of numerical data (12)
6 *The ___ Falcon*, 1941 film directed by John Huston (7)
7 Corroborated, verified (13)
8 Children's poem (7,5)
14 Pulling hard (7)
16 Aromatic herb (6)
19 Unclouded (5)

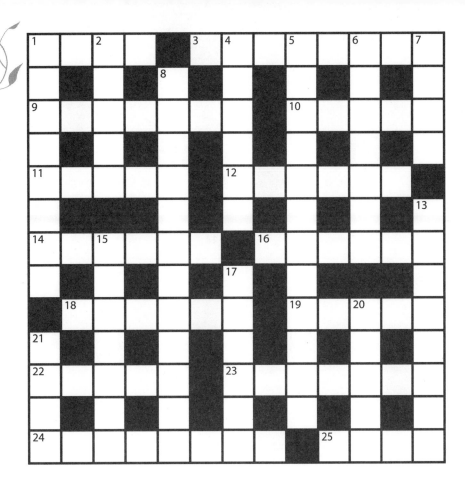

Across

1 Chop (4)
3 Person who steers a ship (8)
9 Sovereign (7)
10 Body (5)
11 Check accounts (5)
12 Like better (6)
14 Strip (6)
16 As much as necessary (6)
18 Period of 10 years (6)
19 Copy on thin paper (5)
22 Island in the West Indies (5)
23 Native of Haifa or Tel Aviv, for example (7)
24 Operator of a railway locomotive (8)
25 Piquancy (4)

Down

1 Traditionalists (8)
2 God of love (5)
4 One of the world's continents (6)
5 Forces of the physical world personified as a woman (6,6)
6 French mime artist famous for his sad-faced clown (7)
7 Gas used in lighting (4)
8 Formal and solemn declaration of objection (12)
13 Breathing with a whistling sound (8)
15 Watching (7)
17 Next to (6)
20 Battleground (5)
21 Foot-covering (4)

Across

1 Stress (7)
5 Lifting device for raising objects (5)
8 Free from external control (11)
9 Frame of iron bars to hold a fire (5)
11 Feel (7)
13 Wandered (6)
14 Santa's mode of transport (6)
17 Lessen a load (7)
18 Groom with elaborate care (5)
19 Person who spreads frightening rumours (11)
22 Hang back (5)
23 Tripled (7)

Down

1 Lever that activates the firing mechanism of a gun (7)
2 Move head in agreement (3)
3 Piece of equipment or tool (9)
4 Four score and ten (6)
5 Tinge (3)
6 Tending to encroach (9)
7 Armistice (5)
10 Absence of the sense of pain without loss of consciousness (9)
12 Percussion instrument (9)
15 Number in one century (7)
16 Fabricate, make up (6)
17 Smallest (5)
20 Completely (3)
21 Mousse (3)

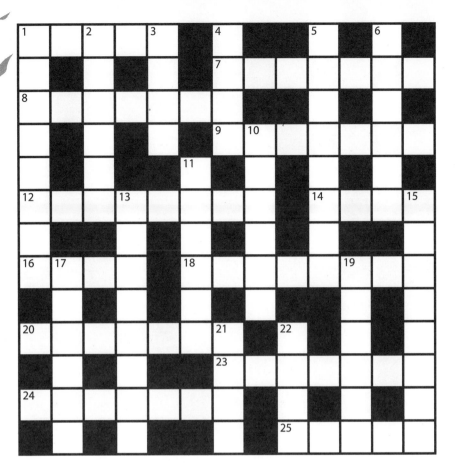

Across

1 Animal prized for its fur (5)
7 Listening (7)
8 Make-up used on the eyelashes (7)
9 Another name for tungsten (7)
12 Free from guilt (8)
14 "Beware the ___ of March", advice given to Julius Caesar (4)
16 Holler (4)
18 Greek god of the sea (8)
20 Lift (7)
23 Italian composer (1678-1741) (7)
24 Permanent separation from a spouse (7)
25 Closely packed (5)

Down

1 Reduce in complexity (8)
2 State capital of Massachusetts, USA (6)
3 Mild yellow Dutch cheese (4)
4 Unfreeze (4)
5 Rude decorations inscribed on walls (8)
6 March aggressively into another's territory (6)
10 Lacking in insight (6)
11 Dictator (6)
13 State of being disregarded or forgotten (8)
15 Fair, bright weather (8)
17 Oblong cream puff (6)
19 Irish capital (6)
21 All the time (4)
22 Zealous (4)

93

Across

1 Jailor (6)
4 Case for knife (6)
7 Makes less sharp (6)
9 Metallic element used in a wide variety of alloys (8)
11 Affirm solemnly and formally as true (4)
14 Liquor (7)
15 Cover (4)
16 Domed recess (4)
17 Ruler (7)
18 Period of 52 weeks (4)
21 Binding agreement (8)
22 Apostasy (6)
24 Small rocks (6)
25 Roller on a typewriter (6)

Down

1 Venomous snake (5)
2 Underworld god (5)
3 Make a choice (3)
4 Thick soup of meat, vegetables and pearl barley (6,5)
5 Worthy of imitation (9)
6 Abounding with fog (4)
8 Stone coffin (11)
10 Sickness (6)
12 Religious cult practised chiefly in Caribbean countries (6)
13 Very slender (5-4)
19 Something that happens at a given place and time (5)
20 Synthetic silk-like fabric (5)
21 Young bears (4)
23 Long and slippery fish (3)

Across

1 Tearing violently (7)
5 Light springing movement upwards (5)
7 Head-dress worn by bishops (5)
8 Steadfastness (7)
9 Let loose (7)
10 Cast off hair (5)
11 Lacking in quantity (6)
13 Oval melon-like tropical fruit (6)
18 Guide a vessel (5)
20 Consultant (7)
21 Great joy (7)
22 Plant exudation (5)
23 Member of a nomadic people (5)
24 Supervise (7)

Down

1 Items of gossip (7)
2 Kneecap (7)
3 Not precise (7)
4 Nepalese soldier (6)
5 Broom made of twigs (5)
6 Small, inexpensive, mass-produced article (7)
12 Implements for eating food (7)
14 Contrary (7)
15 Helps (7)
16 Put into a proper or systematic order (7)
17 Fidel ___, Cuban socialist leader (6)
19 Form of football (5)

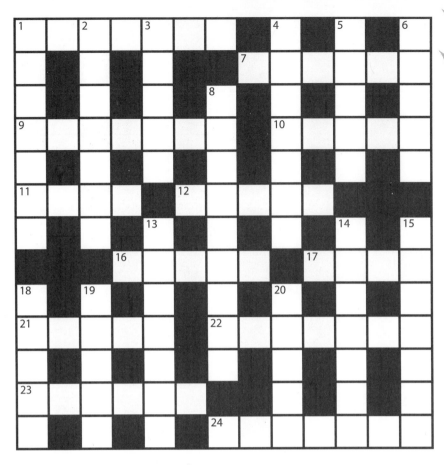

Across

1 Sleeping room (7)
7 Young nobleman attendant on a knight (6)
9 Composer of *Thus Spake Zarathustra* (7)
10 American ___, poisonous shrub (5)
11 Mountain goat (4)
12 Green fabric used to cover gaming tables (5)
16 Reef of coral (5)
17 One who has achieved a high level of spiritual insight (4)
21 Viper (5)
22 Brilliant red (7)
23 Measure of liquid (6)
24 Device on an aircraft that controls lateral motion (7)

Down

1 Covered cistern (7)
2 Decked out, embellished (7)
3 Petty officer on a merchant ship (5)
4 Crush (7)
5 Mark (~) placed over the letter n in Spanish (5)
6 Hair on the chin (5)
8 Bring about (9)
13 Fame as a performer (7)
14 Coal miner (7)
15 Water tank (7)
18 Goods carried by a large vehicle (5)
19 Hitler's forename (5)
20 Biblical tower (5)

Across

4 Old-fashioned (7)
8 Relating to Antarctic or Arctic regions (5)
9 Very difficult and demanding much energy (9)
10 State of being disregarded or forgotten (5)
11 Essential (9)
13 Draw from (6)
16 Surgical knife (6)
20 Large mass of land projecting into the sea (9)
23 Supple (5)
24 Truce (9)
25 Variety show (5)
26 Moderately slow tempo in music (7)

Down

1 Clap one's hands (7)
2 Climb awkwardly (7)
3 Malicious burning of property (5)
4 Continent of which Libya is a part (6)
5 Republic in north-western 4 Down (7)
6 Prescribed number (5)
7 Short formal piece of writing (5)
12 Perennial herb with grey-green bitter-tasting leaves (3)
14 Augment (3)
15 Meat from a deer (7)
17 Confined, imprisoned (7)
18 Robbers (7)
19 Light glass formed on the surface of some lavas (6)
20 Shopping centre (5)
21 Person with no fixed residence (5)
22 Warn of danger (5)

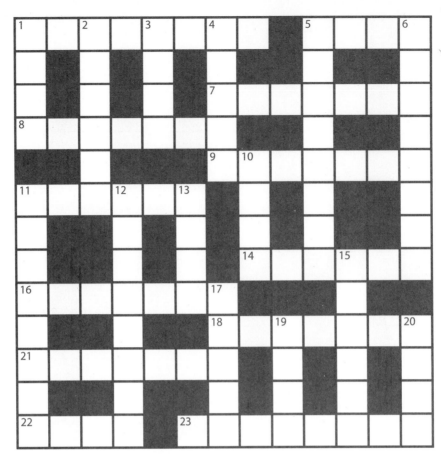

Across

1 Hinged window sash (8)
5 Influence in an unfair way (4)
7 Ennui (7)
8 Engage in boisterous, drunken merry-making (7)
9 Open framework (7)
11 North African desert (6)
14 Rocky and steep (6)
16 Watered down (7)
18 Satisfy (thirst) (7)
21 Left out (7)
22 Academic test (4)
23 Skirted around (8)

Down

1 Stylish (4)
2 Look for (6)
3 Bill of fare (4)
4 Prize for Literature won by Harold Pinter in 2005 (5)
5 Crying plaintively (8)
6 Boiled slowly at low temperature (8)
10 Partly open (4)
11 Pattern of symptoms (8)
12 Habituate (8)
13 Measure of land (4)
15 Free (6)
17 Informal term for a father (5)
19 Couch (4)
20 Ms Blyton, authoress (4)

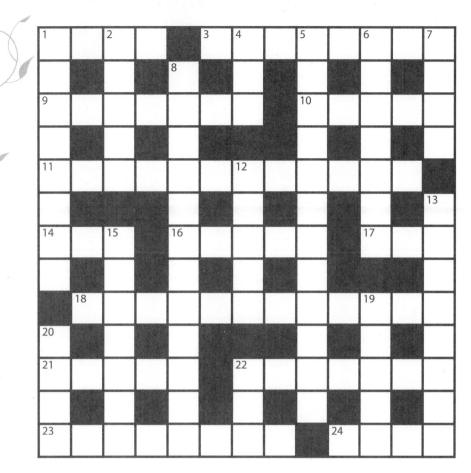

Across

1 Confront with resistance (4)

3 Water feature (8)

9 Taken illegally, as of territory (7)

10 Join together (5)

11 Disclose, reveal (5,2,5)

14 Sprocket (3)

16 Colonic irrigation (5)

17 Travel on the piste (3)

18 Broken apart into its constituent pieces (12)

21 Plea of being elsewhere (5)

22 Vacation (7)

23 Peace of mind (8)

24 Place in the mail (4)

Down

1 Retreat (4,4)

2 Plants such as mushrooms and toadstools (5)

4 Curious (3)

5 Unit of length used in navigation (8,4)

6 Climbs down (7)

7 Yule (4)

8 Hyperbole (12)

12 Follows orders (5)

13 Appearing extremely agitated (4-4)

15 More grubby (7)

19 Projecting ridge on a mountain (5)

20 Exceed (4)

22 Strike (3)

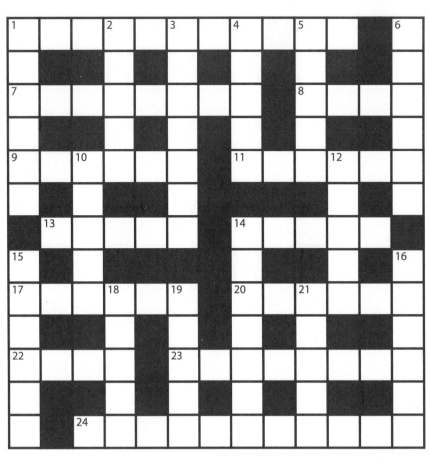

Across

1 Classified according to a mental stereotype (11)
7 Exempt from purchase tax (4-4)
8 Spherical object (4)
9 Sheen (6)
11 Pushed gently against (6)
13 Inane (5)
14 Foot lever (5)
17 Continent of which Namibia is a part (6)
20 Set of eight notes (6)
22 Hinged section of a table (4)
23 Protein, used as an ingredient in cosmetic creams, thought to maintain skin's elasticity (8)
24 Inclined to respect beliefs different to one's own (5-6)

Down

1 Swim like a dog in shallow water (6)
2 Arab Republic (5)
3 Place for young plants (7)
4 Large body of water (5)
5 Fix securely (5)
6 Pleasant arrangements of musical notes (6)
10 Traveller on the piste (5)
12 Tropical fruit having yellow skin and pink pulp (5)
14 Difficulty (7)
15 Vote (6)
16 Freed of dependence on milk (6)
18 Conclude by reasoning (5)
19 Capital of Ghana (5)
21 Educate in a skill (5)

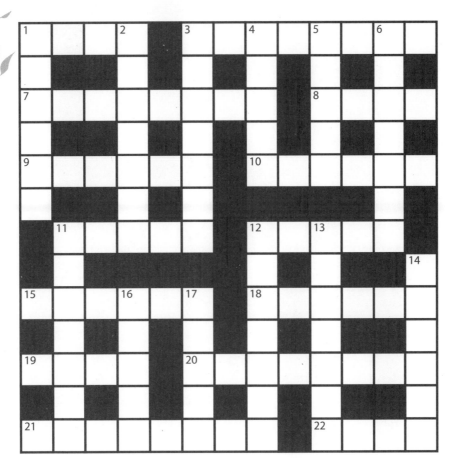

Across

1 Unit of length equal to 1760 yards (4)

3 Unmarried woman (8)

7 Adjust (8)

8 Vocal music (4)

9 Contract, become smaller (6)

10 Involuntary vibration (6)

11 Ridge found in rugged mountains (5)

12 Fruit liquid (5)

15 Utilize (6)

18 Small grotesque supernatural creature (6)

19 Pretentious person (4)

20 City of eastern India (8)

21 Statue maker (8)

22 Facts given (4)

Down

1 Ill-tempered (6)

2 Skilful at avoiding capture (7)

3 Glisten (7)

4 Torpid (5)

5 Place at intervals (5)

6 Instalment (7)

11 Annual publication giving weather forecasts, etc (7)

12 Entertainer who performs tricks of manual dexterity (7)

13 Moving toward a centre (7)

14 Capital of Turkey (6)

16 Written defamation (5)

17 Type of sailboat (5)

Across

1 Russian urn for hot drinks (7)

7 Rising current of air (7)

8 Bread buns (5)

10 Sauce served with fish (7)

11 Incorrect (5)

12 Replaced, switched (9)

16 Small, burrowing American mammal with a body protected by horny plates (9)

18 Asian state split into two countries (5)

20 Monotonous (7)

23 Relating to punishment (5)

24 Finger protector (7)

25 Woman who dispenses beverages (3,4)

Down

1 Drinking tube (5)

2 Pungent leaves used as seasoning (8)

3 Countrified (6)

4 Central European river (4)

5 Fête (4)

6 Pays heed (7)

9 Myth (6)

13 Roused from slumber (6)

14 Member of an irregular armed force that fights by sabotage and harassment (8)

15 Large heavy knife used for cutting vegetation (7)

17 Clinging type of shellfish (6)

19 Church building (5)

21 Letters (4)

22 Loose flowing garment (4)

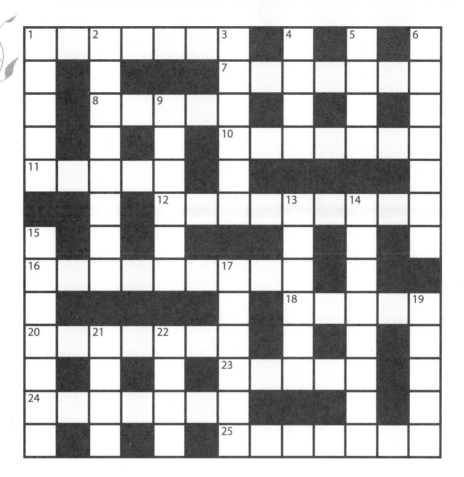

Across

1 Ward off (7)

7 Standing up on the hind legs (7)

8 Spicy sauce to accompany Mexican food (5)

10 Ireland's longest river (7)

11 Worthless material (5)

12 Primitive in customs and culture (9)

16 Large, hairy, tropical spider (9)

18 Venomous hooded snake (5)

20 Arousing or provoking laughter (7)

23 Eyeshade (5)

24 Spare time (7)

25 Was in contradiction with (7)

Down

1 Overzealous (5)

2 Jewish festival (8)

3 Pencil mark remover (6)

4 Information (4)

5 Put one's name to (4)

6 Suffer anguish (7)

9 Capital of Portugal (6)

13 Calculating machine (6)

14 Unrestrained expression of emotion (8)

15 Aseptic (7)

17 Mismatched (6)

19 Targeted (5)

21 Set of garments (usually of a jacket and trousers) (4)

22 Low in spirits (4)

103

Across

1 Junk (5)
7 Six-sided polygon (7)
8 Slippery or viscous liquid (3)
9 Express a negative opinion of (9)
11 Oval fruit with a very large seed (5)
12 Sickening (8)
16 Not usual (8)
20 Outcast (5)
21 Power to withstand hardship or stress (9)
23 Noah's boat (3)
24 Instalment (7)
25 Country, capital Sana'a (5)

Down

1 Figure made of ice (7)
2 Yield (6)
3 Excuse an offence (6)
4 In the way indicated (4)
5 One who loves and defends his or her country (7)
6 Rest on bended legs (5)
10 Flour and water dough (5)
13 Large artery (5)
14 Extreme mental distress (7)
15 Small cucumber pickled whole (7)
17 Margin (6)
18 Take away weapons (6)
19 Cap with no brim or peak (5)
22 Christmas (4)

Across

1 Act of suffocating by constricting the windpipe (13)
7 Angry disputes (4)
8 Herb with leaves valued as salad greens (6)
9 Strong and sharp (5)
10 Resist (4)
12 Place of work (6)
13 Mix dough (5)
15 Upstanding or highborn (5)
18 Item which prevents a ship from moving (6)
20 Traditional story (4)
21 Stringed instrument (5)
22 Country, capital Lilongwe (6)
23 Device in which pepper is ground (4)
24 Miscellaneous articles needed for a particular operation or sport (13)

Down

1 Distance covered by a step (6)
2 Put to the test (5)
3 Defender (5)
4 Assume a reclining position (3,4)
5 At first (9)
6 Required (6)
11 Mountainside cable railway (9)
14 Member of an order noted for devotional exercises involving bodily movements (7)
16 Exercising in preparation for strenuous activity (4-2)
17 Film of 1991, co-starring Susan Sarandon and Geena Davis, ___ & *Louise* (6)
19 Be suspended in the air (5)
20 African venomous snake (5)

Across

1 Sac (5)

4 Aircraft pilot's compartment (7)

8 Pleasingly sweet fragrance (9)

9 Onerous task (5)

10 One who obtains pleasure from receiving punishment (9)

13 Staining (6)

14 Taunted, baited (6)

16 Barrier set up by police to stop traffic (9)

19 Softly bright or radiant (5)

20 Branch that flows into the main stream (9)

22 Orator (7)

23 Work dough (5)

Down

1 Sign posted in a public place as an advertisement (7)

2 Disobliging (13)

3 Women's quarters (5)

4 Important North Atlantic food fish (3)

5 Acute abdominal pain (5)

6 Roman procurator who ordered Jesus' crucifixion (7,6)

7 Chirp (5)

11 Person of exceptional holiness (5)

12 Of the eye (5)

15 Killed by submerging in water (7)

16 Speeds (5)

17 Refuse to go on (5)

18 Small canoe made watertight with animal skins (5)

21 Melody (3)

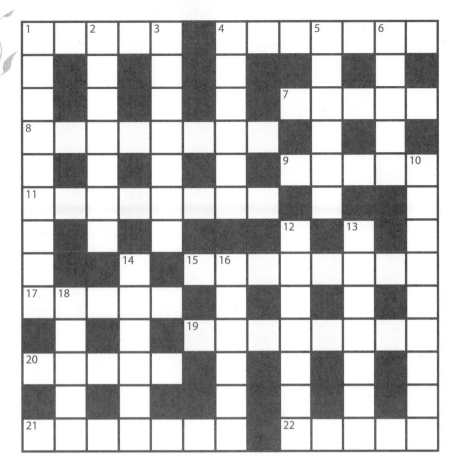

Across

1 Unglazed leather (5)
4 Lacking depth (7)
7 Departs (5)
8 Way in (8)
9 Item used to sweep the floor (5)
11 Internal supporting structure (8)
15 Country formerly known as Siam (8)
17 Deep serving spoon (5)
19 Throwing out forcefully (8)
20 Strainer (5)
21 Town which was home to the Flintstones (7)
22 Tie the limbs of a bird before cooking (5)

Down

1 Extremely irritating to the nerves (9)
2 Discharged of contents (7)
3 Breathed out (7)
4 Type of plaster applied to exterior walls (6)
5 Opulence, sumptuousness (6)
6 Get the better of (5)
10 Carnival held on Shrove Tuesday (5,4)
12 Small, flat, sweet cake, cookie (7)
13 Arctic deer with large antlers (7)
14 Ingenious (6)
16 Seize a vehicle in transit (6)
18 Spry (5)

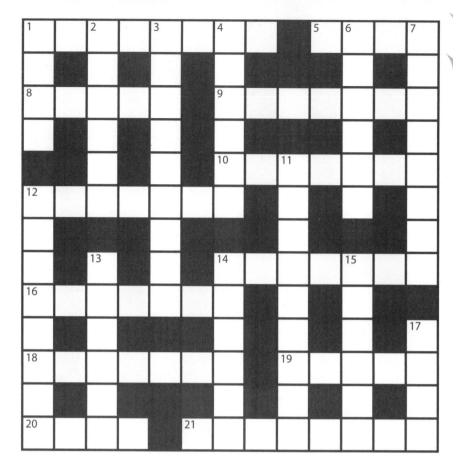

Across

1 Sprained (8)
5 Clothed (4)
8 One of the Seven Deadly Sins (5)
9 Type of Indian bread (7)
10 Hang freely (7)
12 Female parents (7)
14 Make believe (7)
16 Redeemer (7)
18 Period of 100 years (7)
19 Short descriptive poem
   of rural life (5)
20 Large container for liquids (4)
21 Advance (8)

Down

1 Shed tears (4)
2 Evoke (6)
3 Gradual increase in volume (9)
4 Overabundance (6)
6 Primed with ammunition (6)
7 Lost substance, faded (8)
11 Constricting (9)
12 Slaughter (8)
13 Retaliate (6)
14 Supplication (6)
15 Catalyst (6)
17 Unluckily (4)

Across

4 Revere (7)

7 Acute intestinal infection (7)

8 Makes tight against leakage (5)

9 Military blockade (5)

10 World's second-largest living bird (3)

11 Make folds in cloth (5)

12 As fast as possible (4-5)

14 Entry (9)

17 Ten-tentacled sea creature (5)

18 Product of a hen (3)

19 First appearance (5)

21 Ceased (5)

22 Motorcoach (7)

23 Line touching a curve (7)

Down

1 Freezes over (4)

2 Houseplant with colourful leaves (6)

3 Exercising or showing good judgment (5-6)

4 Vacillates (6)

5 Device that supplies warmth (6)

6 Stance (8)

8 Taking the place of (11)

12 Outlook (8)

13 Encumbrance (6)

15 Larva of the housefly (6)

16 Take in liquids, drink (6)

20 Examination (4)

Across

7 Without shoes (8)
8 Crooked (4)
9 Habitation for bees (4)
10 Nocturnal flying creature (4)
11 Canine mammal (3)
13 Sharp-pointed tip on a stem (5)
14 Michael ___, husband of Catherine Zeta-Jones (7)
16 1982 film starring Dustin Hoffman (7)
18 Hidden, placed on watch, or in ambush (5)
21 Feline mammal (3)
22 Material effigy worshipped as a god (4)
23 Muslim prayer-leader (4)
25 Part of a skeleton (4)
26 Put to death (8)

Down

1 Disappear from view (6)
2 Make merry (9)
3 Punctuation mark (5)
4 Designated social position (7)
5 The alphabet (3)
6 Mohair (6)
12 Conspicuously and outrageously bad (9)
15 Similar or related (7)
17 Public speaker (6)
19 Render unable to hear (6)
20 Group of aircraft operating together under the same ownership (5)
24 Garland (3)

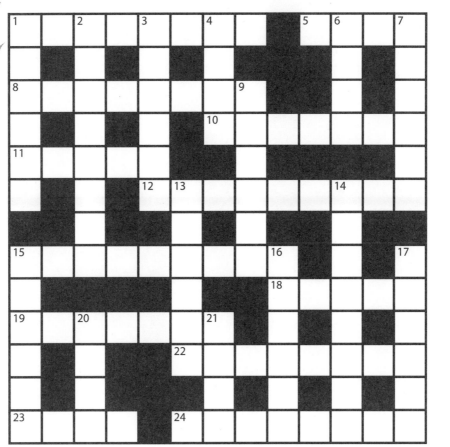

Across

1   Crested parrot of the Australian region (8)
5   Burrowing bivalve mollusc (4)
8   Became fully aware of (8)
10 Procrastinated (7)
11 Fabulous, wonderful! (5)
12 Twenty-four hours ago (9)
15 Island south of the Malay Peninsula (9)
18 Series of hills or mountains (5)
19 Port in northern Belgium (7)
22 Small tree with needle-shaped leaves and feathery racemes of small pinkish flowers (8)
23 Book of the Old Testament (4)
24 Curled tightly, kinked (8)

Down

1   Dead body (6)
2   Winner of a competition (8)
3   Building where birds are kept (6)
4   Was in debt to (4)
6   Indolent (4)
7   Noon (6)
9   One who owes money (6)
13 Transfer abroad (6)
14 Toward a lower or inferior state (8)
15 Deficient in quantity compared with demand (6)
16 Artificial, substitute (6)
17 Picked at, like a bird (6)
20 Route all the way around a particular place (4)
21 Couple (4)

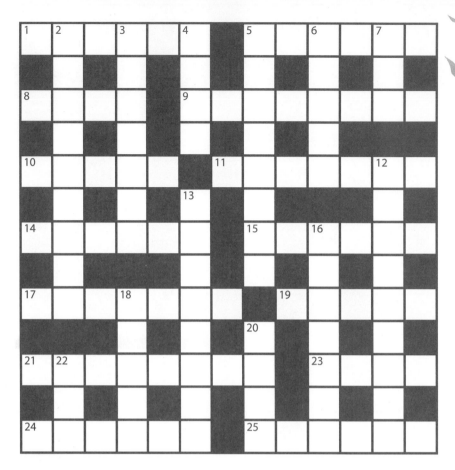

Across

1 Scour a surface (6)

5 Male reproductive organ of a flower (6)

8 Word that denotes an action (4)

9 Scurf (8)

10 Sky-blue (5)

11 Quiet song intended to send a child to sleep (7)

14 Alight (6)

15 Beast (6)

17 Do away with (7)

19 Groyne, breakwater (5)

21 Hugh Grant's business in *Notting Hill* (8)

23 Idiots (4)

24 Edible part of a nut (6)

25 Conundrum (6)

Down

2 Satan (9)

3 One of the three prairie provinces in western Canada (7)

4 Small whirlpool (4)

5 Unique (8)

6 Spring month (5)

7 Fairy (3)

12 Extremely pretty (9)

13 English astronomer (1738-1822) (8)

16 Freezing (3-4)

18 Compare (5)

20 Prod (4)

22 Lyric poem (3)

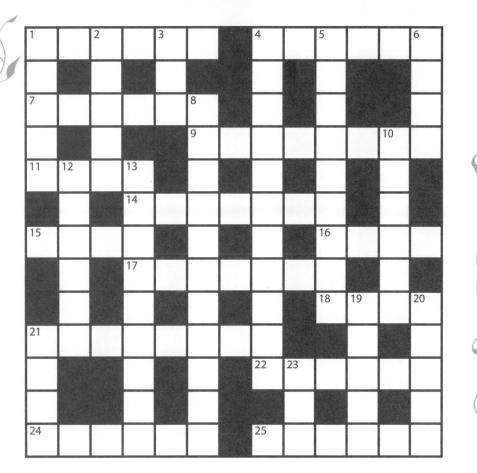

Across

1 Parentless child (6)

4 Praised vociferously (6)

7 Trousers that end above the knee (6)

9 Gave one's approval to, backed (8)

11 Heroic tale (4)

14 Relating to the stomach (7)

15 Asterisk (4)

16 Word expressing a motion towards the centre (4)

17 Reaches out (7)

18 Corrode, as with acid (4)

21 Parallelogram with adjacent sides of unequal lengths (8)

22 Inferior substitute or imitation (6)

24 Beam over doorway (6)

25 Earnest or urgent request (6)

Down

1 Watering-hole (5)

2 Pointed projection on a fork (5)

3 Astern (3)

4 Explosive device designed to be thrown (4,7)

5 Not accurate (9)

6 Tinted (4)

8 Causing intense interest, stunning (11)

10 From or characteristic of another part of the world (6)

12 Fix together (6)

13 Concord (9)

19 Faintly detectable amount (5)

20 Light brown colour (5)

21 Barrier consisting of a horizontal bar and supports (4)

23 Tear (3)

1

```
E F F O R T S   P   H   I
R   O     U N I F O R M
R   R A V E N   S   O   P
O   E   E   T E A R F U L
R U L E R   A       R   O
    I V A N C O U V E R
B   M   E   X   I     E
A R B I T R A R Y   O
T       G   G U L C H
T U N I S I A   E   E   A
E   E   K   T E N O N   B
R A L E I G H       C   I
Y   L   N   A I L M E N T
```

2

```
  P A C I F I C O C E A N
C   D   N   M   L   P   U
A B O R T   M   D R I E D
N   P   E A U   E   T   G
D E T E R   N A R R A T E
I       I   E       P
D Y N A M O   H Y P H E N
    E   H   U       O
T A B L E A U   L A S E R
I   U   T   D Y E   H   W
M U L C H   S   L A R V A
I   A   O   O   O   E   Y
D R E S S I N G G O W N
```

3

```
D I N G H Y   W   C     M
  D   A   D I V O R C E
G Y R A T E   S   U   T
  L   C   S H O R T E R
C L I C H E   T   O
O   O   D U S T Y   N
N O O N   T   A L S O
C   T A N G Y   R   M
I   I   E N D I V E
E M A N A T E   O   A
R   U   U   B R I D L E
G I R A F F E   S   E
E   L   T   D E B A T E
```

4

```
L A C Q U E R   M   E   S
O   O   D   W A L N U T
C   N   D E   S   J   U
A C T R E S S   C R O W D
L   O   R P   A   Y   Y
L O U D   B E A R D
Y   R   E   R   A   F   D
      C L E A N   D I V E
I   E   D   N   H   N   F
M O V I E   T H U N D E R
A   E   R   O   M   I   O
G E N T L Y   A   N   S
E   T   Y   R I N G G I T
```

5

```
S I N U S ■ C O N F O R M
T ■ U ■ E ■ A ■ É ■ P ■ O
A R C ■ N O R W E G I A N
R ■ L ■ S ■ B ■ ■ N ■ S
T H E M E ■ O P U L E N T ■ E
■ ■ A ■ L ■ N ■ N ■ ■ ■
P E R P E N D I C U L A R
I ■ ■ S ■ I ■ E ■ A ■ ■
T A B A S C O ■ R A C E S
C ■ U ■ ■ X ■ T ■ O ■ A
H A R M O N I C A ■ N A B
E ■ S ■ W ■ D ■ I ■ ■ L
R E T I N U E ■ N I C H E
```

6

```
A P P O S I T E ■ H E L P
L ■ L ■ R ■ P ■ V ■ ■ R
P L A C E B O ■ A B A T E
S ■ N ■ C ■ P ■ T ■ C ■ C
■ ■ ■ L I G H T H O U S E
S ■ M ■ A ■ Y ■ O ■ A ■ D
L I A B L E ■ C L O T H E
I ■ N ■ I ■ A ■ O ■ E ■ D
P I T T S B U R G H ■ ■
P ■ I ■ I ■ T ■ I ■ T ■ A
E L L E N ■ U N C L E A R
R ■ L ■ G ■ M ■ A ■ S ■ I
Y E A R ■ E N C L O S E D
```

7

```
I N J E C T ■ E ■ B ■ A
R ■ I ■ ■ I N N U E N D O
R U B Y ■ L ■ T ■ A ■ J
U ■ E A S T E R ■ N O U N
P ■ ■ R ■ H ■ E ■ ■ ■ S
T H I R D ■ H A U G H T Y
■ ■ O ■ C ■ T ■ I ■ ■
R E D W O O D ■ G R A P E
■ X ■ N ■ S ■ D ■ ■ V
L O R D ■ T I C K L E ■ E
■ D ■ I ■ E ■ A ■ E R I N
D U O D E N U M ■ ■ G ■ L
■ S ■ O ■ T ■ P R I O R Y
```

8

```
■ P E R F O R A T I O N ■
U ■ A ■ E ■ A ■ H ■ A ■ F
N ■ R ■ S O B E R ■ T O O
W O R S T ■ B ■ O ■ H ■ R
A ■ I ■ I ■ I ■ B A S T E
R E N O V A T E ■ ■ ■ T
R ■ G ■ E ■ ■ S ■ V ■ H
A ■ ■ ■ M O S Q U I T O
N I C K S ■ B ■ U ■ S ■ U
T ■ R ■ T ■ L ■ E K I N G
E R E ■ A T O N E ■ B ■ H
D ■ T ■ L ■ N ■ Z ■ L ■ T
■ B E L E A G U E R E D
```

9

```
D I S O B E D I E N T . N
I . W . P . . X . A P E . I
A L L E V I A T E . B . . I
R . . . L . R . O T . . T
Y I E L D E D . T O O T H . H
. . I . P . P . O . . . E
G U E S T S . L A Z I E R
O . L . Y . U . E
N A K E D . A M A D E U S
D . I . R . B . I
O . R . A D M I S S I O N
L E O . I . N . U . C
A . V I N A I G R E T T E
```

10

11

```
F L A S H . S O L V E N T
O . R . U . C . E X . E
C A T A R R H . M E T E R
U . H . R . I . O E . R
S A U C Y . S A N G R I A
. . R . U M . . M . C
S A R A P E . A S P I R E
A . A . . C . A . N
U N N E R V E . U S A G E
S . S . O . A . T . A
A G O R A . S E T T I N G
G . M . S . E . O . L
E L E C T E D . R I N S E
```

12

13

```
C A C T U S . B . F . E
R . O . . C H A R I S M A
A . O . . S . R . P .
Y E L L O W . . S E E T H E
O . . E . L . O . . A
N A V E L . B O L D E S T
. I . C . F . N . R . I
A R C H W A Y . M A R S H
. C . . U . P . M . . U
P R E F I X . . A M A Z O N
. A . O . P . U . . O . G
O F F L O A D S . . . N . E
. T . K . S . E N D E A R
```

14

```
F R A N C . L . . S . . B
I . U . A . A U G U S T A
N I P . S . S . L . . . G
L A . I N S T I T U T E .
A L I E N . . H . A . . L
N . R . O B T A I N E D .
D . C . A . N . A . . . S
. M O U S S A K A . N . L
S . R . I . . C R O N E .
C H A R A C T E R . U . N
O . E . I . O . . G O D .
P R A N C E R . S . A . E
E . T . E . S I T A R .
```

15

```
P O R O U S . P . C . D
I . A . . C H A P L A I N
C A N . . O . P . E . L
N . D R O W S Y . R E A D
I . O . . L . R . I . T
C A M E O . B U T C H E R
. . N . C . S . A . . .
T A N G L E D . A L P H A
. C . N . P . O . . . B
B U R R . T A I P E I . A
. M . G . R . L . S E C
D E M E R A R A . O . U
. N . D . L . U R A N U S
```

16

```
H O R N E T . N O I S E S
E . H . N . P . D . A . A
A V O C A D O . Y . R . N
R . D . C . R E S C I N D
T H E F T . T . S . . . A
Y . S . O . E X P E L .
. . I . P U F F Y . A .
K N A V E . S . . . S . A
I . . N . P . R A S P S
G E O R G I A . E . A . Y
A . P . U . I L L E G A L
L . U . I . N . A . E . U
I N S A N E . G Y P S U M
```

17

```
D E M O N S T R A T I O N
I   R   Y   U     N   I
S T A G   R   S T A T I C
T   A D U L T   E     K
I R O N   P   L E S L I E
L   V     E     L   L
  V E N O M   R E N E W
B   R   A       C     C
A U B U R N   E   U T A H
L   O   D O N O R     O
S T A N Z A   T   B U Y S
A   R     T   E   A   E
M E D I T E R R A N E A N
```

18

```
S C A R E   F     C   C
A   D   I   A L B A N I A
P R O G R A M   L   R
P   N   E   E S S E N C E
H   I     T   H   N   U
I N S C R I B E   D I S C
R     A   S   R   A   O
E N D S   S U P E R I O R
  E   U   U   A   S   P
P A N A C E A   H   O   O
  R   L     C H A M B E R
A B O L I S H   L   A   A
Y     Y     E   F E R A L
```

19

```
S A B B A T   S E C O N D
C   A   G   P   H     E
A R M I E S   O   E   E
R   B     P A N I C K E D
F A I R   E   T   K   U
  P   E X C L A I M   R
G O B I   T   N   A P E X
  L   N E A T E S T   K
  L   F   C   O   E D A M
H O N O L U L U     E   E
E     R   L     S I L V E R
E     C   A     R   I   C
L I N E A R   R E A L L Y
```

20

```
M O T O R S   R A D I S H
I   R   E   U   O   T
N A Z I   C   B   D   R
D     E   T O B O G G A N
  B   N   O   E   E   T
B A T T E R   R E D E E M
  C     V     B     G
S K E W E R   A B S E I L
  W   E   H   M   U   C
C A T A C O M B   I     S
  R   K   D   U   T A C O
  D   E   E   S   O   O
O S I R I S   H A R D E N
```

21

```
O U T L I N E ■ Y O K E L
F ■ A ■ N ■ X ■ O ■ E ■ E
F O R E C L O S U R E ■ A
I ■ ■ ■ U ■ T ■ P ■ S ■ S
C O V E R ■ I M P A S S E
E ■ I ■ A ■ C ■ R ■ A ■ E
S H A B B Y ■ R A N K L E
■ ■ B ■ L ■ P ■ G ■ E ■ A
C H I M E R A ■ M O S E S
I ■ L ■ ■ ■ T ■ A ■ ■ ■ T
V ■ I N H E R I T A N C E
I ■ T ■ O ■ O ■ I ■ É ■ R
C R Y P T ■ L E C T E R N
```

22

```
T U B E R ■ S T A M M E R
U ■ I ■ E ■ O ■ R ■ E ■ E
N I L ■ M O U S T A C H E
I ■ I ■ B ■ T ■ C ■ L ■
C H O I R ■ H O S T A G E
■ U ■ A ■ C ■ N ■ ■ ■ C
M I S A N T H R O P I S T
A ■ ■ D ■ I ■ W ■ N ■ ■
T I G H T E N ■ F I S T S
A ■ U ■ A ■ L ■ T ■ T ■
D Y S P E P S I A ■ E A R
O ■ T ■ F ■ E ■ K ■ A ■ A
R O S E T T A ■ E N D O W
```

23

```
■ N E G O T I A T I O N
R ■ P ■ V ■ N ■ O ■ M ■ A
E ■ I E I D E R ■ A L L
V I C A R ■ I ■ S ■ H ■ T
I ■ U ■ T ■ G ■ O H A R E
T O R E A D O R ■ ■ ■ R
A ■ E ■ X ■ ■ H ■ W ■ N
L ■ ■ M A H A R A J A
I N L E T ■ T ■ R ■ R ■ T
S ■ U ■ H ■ T ■ V E R D I
E O N ■ I M A G E ■ I ■ V
D ■ G ■ E ■ I ■ S ■ O ■ E
■ P E R F U N C T O R Y
```

24

```
C A R A F E ■ S H O V E L
A ■ ■ U ■ A ■ I ■ ■ ■ O
T ■ O R N A M E N T S ■ N
T ■ R ■ N ■ U ■ T ■ E ■ D
L U C K I E S T ■ A L S O
E ■ H ■ E ■ E ■ V ■ E ■ N
■ V E R S E ■ D I T C H
E ■ S ■ T ■ W ■ G ■ T ■ A
N O T E ■ R E M O V I N G
J ■ R ■ A ■ A ■ R ■ O ■ R
O ■ A F T E R N O O N ■ E
Y ■ ■ O ■ Y ■ U ■ ■ ■ E
S O L E M N ■ I S L A N D
```

25

```
I N D I C A T E S . D I P
R . E . A . . T . R . L .
O C C U P Y . P A N A M A
N . E . I . N . L . W . N
. K N O T . U G L I E S T
A . T . A . R . R . R . A
N . C L O S E S T . H . I
S . B . E . T . H . . . N
W A R R I O R . O R A L .
E . I . N . Y . R . W . M
R I G H T S . G A R A G E
E . H . E . . G . . I . S
D O T . R E P L E N I S H
```

26

```
S W A Z I L A N D . E . A
I . B . C . R . R E V E L
T E A . E . A . A . I . L
N . . B E B O P . C . E .
D O D G E . L . E S T E R
. . O . R . E . . H . . G
B E N I G N . E N E R G Y
A . N . . B . A . A . . .
S A I N T . A . R I V E T
H . R . R A Z O R . I . R
F . A . O . A . A . O D E
U N T I L . A . T . L . A
L . E . L A R C E N I S T
```

27

```
G A Z E B O . S Y M B O L
R . E . A . O . . . . . I
. D E S T R O Y E R . . N
B . E . O . G . . A . . D
B O A S T F U L . A D Z E
Y . T . T . E . A . I . N
. W H E E L . S C R A P .
O . T . D . D . T . T . L
P R O D . D I V I N I T Y
P . L . T . N . V . O . R
O . L I B R A R I A N . I
S . . . A . R . T . . . C
E M B A R K . B Y P A S S
```

28

```
. R H Y T H M . T U L I P
C . O . E . O . R . U . S
H O R S E S H O E . M . Y
A . U . . A . A S P I C .
I N S O M N I A C . Y . H
S . . W . R . L . . . . I
E F F E C T . . R E T I N A
L . . . O . S . O . . . T
O . . O . L A W N M O W E R
N A V A L . E . . . H . I
G . . I . E R R O N E O U S
U . . N . C . V . . L . T
E X E R T . E M B L E M .
```

29

```
S . T . P . T A N K A R D
N O U R I S H . . . L . Y
U . N . C . . N A M E S .
B I D E T . U S E . O . L
. . R . U G . A N N I E .
S E A U R C H I N . D . X
U . U . E . . D . . . I .
R . O . B A R C E L O N A
G E C K O . E . R . R . .
I . C . O U T . T I D A L
C H U N K . I . H . A . O
A . L . . . R E A R I N G
L E T T U C E . L . N . O
```

30

```
. C . C . Y . F . E . P .
F O R E T E L L . B L U E
. A . N . M . A . B . R .
T R O T . E N V Y . A S K
. S . I . N . O . F . U .
T E M P T . J U B I L E E
. . . E . M . R . R . . .
H A N D B A G . B E R T H
. C . E . N . A . P . A .
S T Y . O M E N . L A N D
. U . O . A . D . A . D .
C A L F . D R E N C H E D
. L . F . E . S . E . M .
```

31

```
C A S T L E . C . A . I .
Y . E . . S T A N D I N G
P E A . . S . P . J . S .
R . S A F A R I . A R E A
U . O . . Y . T . C . C .
S E N S E . P A L E T T E
. . N . B . L . N . . . .
A C R O B A T . O T H E R
. E . W . N . Q . E . . O
G L I B . S A U C E R . B
. L . A . H . O . . M O B
E A R L I E S T . . I . E
. R . L . E . E A S T E R
```

32

```
H O P E D . T E R M I T E
O . U . E . A . . E . H .
U . T . B . V . N A D I R
S T R E A M E R . D . N .
E . E . C . R . L O D G E
M U F F L I N G . W . A .
A . . Y . E . . B . B . G
I . . M . C A R A P A C E
D E C O Y . B . I . R . R
. . R . R . C A U L D R O N
L A P A Z . C . I . I . E
. . S . L . U . F . E . S
N E M E S I S . F I R M S
```

33

```
R E A P P E A R . C L A P
U . Q . O . D . . O . O
M O U N T I E S . . V . G
B . A . A . N E W Y E A R
L U R E S . . A . . . O
E . I . H Y P N O T I S M
. . U . E . C . D . .
C O M P E L L E D . E . H
O . . . L . . O U N C E
P I E R R O T . R . T . I
P . I . . W H I S K I N G
E . R . . E . S . T . H
R E E D . A M E T H Y S T
```

34

```
O P A Q U E . G I G G L E
. O . U . C . A . R . E
E T N A . R E T R I E V E
. A . K . U . H . L .
A S H E N . D E P L O R E
. S . R . N . R . E .
F I A S C O . E X H A L E
. U . O . R . D . I .
A M N E S T Y . S N A G S
. . R . H . C . D . I
C A R O U S E L . R I O T
. N . D . E . U . E . U
A T H E N A . E L D E S T
```

35

```
P U L P . C A M I S O L E
O . O . W . D . N . R . A
P O R T E N D . A L I A S
U . E . D . U . N . T
L O N G D I V I S I O N
A . . I . I . P . C . R
C O T . N A O M I . O R E
E . R . G . L . C . C
. P E R M E A B I L I T Y
E . A . A . . O . R . C
V I C A R . C R U C I A L
I . L . C . A . S . S . E
L E E C H I N G . S H O D
```

36

```
R E A M . C A R E F R E E
E . . U . H . U . I . C
S E L F H E L P . R U S H
U . . F . E . E . S . T
M A L L E T . E N T R A P
E . . E . A . . . S
. B I R T H . C A R R Y
. R . . . . A . E . F
B A L L A D . S U F F E R
. V . O . O . C . U . I
M A S T . W R A N G L E D
. D . U . E . D . E . A
C O N S E R V E . E S P Y
```

37

Crossword grid 37:
A	S	P	E	C	T		R		C		P
	H		O		M	O	R	O	C	C	O
C	O	L	U	M	N		T		R		L
	O		I		R	A	V	I	O	L	I
S	T	U	C	C	O			A			C
T		A		S	U	D	A	N			E
A	U	N	T		L		E		D	R	U	M
I			H	B	O	M	B	E			A
R		E			T	A	R	T	A	N
C	O	N	D	E	M	N		L		B
A		R		U		A	L	I	G	H	T
S	C	R	A	T	C	H		O		O
E		L		H		S	W	E	A	R	S

38

R	O	A	D	S		A	N	C	I	E	N	T
O		D		P		P		R		M		O
S		M		O	U	T	N	U	M	B	E	R
T	H	I	C	K			M		A		C
R		N		E	D	I	N	B	U	R	G	H
U		I		I		A		R		R
M	U	S	L	I	N		R	E	M	A	R	K
		T		G		K		S		S		I
T	U	R	Q	U	O	I	S	E		S		D
Y		A		R		M	U	M	P	S		K
P	A	T	A	G	O	N	I	A		E		K
E		O		E		I		I		N		I
S	T	R	U	D	E	L		L	A	T	I	N

39

S	I	L	E	N	T	N	I	G	H	T		S
H		L		R		I		O	P	T		T
A	B	D	I	C	A	T	E	D		N		A
C			V			D		N	G		R
K	N	E	A	D	E	D		Y	E	A	S	T
		H	R		G		X		L			L
S	W	E	E	P	S		A	S	T	U	T	E
T		A		E		S		O			
O	U	T	D	O		F	O	O	L	I	S	H
M		I		P			L					A
A		B		E	F	F	I	C	I	E	N	T
C	U	E		R		N		M				E
H		R	E	A	T	T	E	M	P	T	E	D

40

A	P	P	L	A	U	S	E		S	O	Y	A
X		A		F		H		S		B		N
L	A	Y	E	T	T	E		E	A	T	E	N
E		S		E		R		L		R		O
			G	R	A	P	E	F	R	U	I	T
B		I		N		A		C		D		A
L	O	N	D	O	N		C	O	V	E	R	T
U		F		O		I		N		D		E
E	Q	U	A	N	I	M	I	T	Y		
M		S		N		M		E		O		E
O	U	I	J	A		U	N	M	O	V	E	D
O		O		P		N		P		A		G
N	A	N	A		M	E	N	T	A	L	L	Y

41

B	U	S	T	L	E	■	P	U	R	S	E	R
R	A	■	O	■	F	■	N	■	O	■	■	E
A	L	G	E	B	R	A	■	C	I	N	■	N
N	■	A	■	B	■	S	W	O	L	L	E	N
D	E	C	O	Y	■	C	■	U	■	■	■	E
Y	■	I	T	■	■	U	■	T	O	A	S	T
■	■	T	■	R	A	N	C	H	■	R	■	■
R	H	Y	M	E	■	A	■	A	■	■	■	B
E	■	■	L	■	T	■	C	O	C	O	A	■
H	O	U	D	I	N	I	■	I	■	H	■	Z
E	■	R	■	E	■	O	R	G	A	N	Z	A
A	■	G	■	V	■	N	■	A	■	I	■	A
T	E	E	P	E	E	■	T	R	A	D	E	R

42

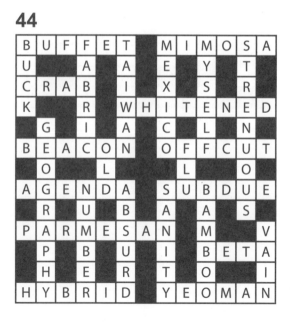

T	A	R	G	E	T	■	B	■	S	■	I	■
E	■	E	■	■	E	L	E	P	H	A	N	T
M	■	A	■	D	■	D	■	I	■	S	■	■
P	E	R	I	O	D	■	R	E	P	U	T	E
L	■	N	■	Y	■	O	■	■	R	■	■	■
E	L	U	D	E	■	H	O	O	D	L	U	M
■	A	■	E	■	I	■	M	■	R	■	C	■
Q	U	I	X	O	T	E	■	H	A	I	T	I
■	D	■	■	E	■	M	■	F	■	■	■	N
C	A	E	S	A	R	■	O	U	T	L	A	W
■	B	■	I	■	A	■	U	■	■	I	■	A
P	L	A	N	K	T	O	N	■	■	N	■	R
■	E	■	G	■	E	■	T	H	R	E	A	D

43

P	E	P	P	E	R	■	O	■	B	■	H	■
O	■	A	■	■	O	P	T	I	O	N	A	L
R	I	S	E	■	W	■	H	■	L	■	W	■
O	■	S	A	D	D	L	E	■	T	H	A	W
U	■	R	■	Y	■	L	■	■	■	■	I	■
S	C	O	W	L	■	P	L	A	S	T	I	C
■	■	■	I	■	E	■	O	■	C	■	■	■
B	A	G	G	A	G	E	■	C	O	P	S	E
■	C	■	■	O	■	S	■	R	■	■	■	X
B	U	R	N	■	T	I	N	S	E	L	■	P
■	M	■	O	■	R	■	E	■	D	O	D	O
M	E	A	N	T	I	M	E	■	■	C	■	R
■	N	■	E	■	P	■	R	A	C	K	E	T

44

B	U	F	F	E	T	■	M	I	M	O	S	A
U	■	A	■	A	■	E	■	Y	■	T	■	■
C	R	A	B	■	I	■	X	■	S	■	R	■
K	■	R	■	W	H	I	T	E	N	E	D	■
■	G	■	I	■	A	■	C	■	L	■	N	■
B	E	A	C	O	N	■	O	F	F	C	U	T
■	O	■	■	L	■	■	■	L	■	■	O	■
A	G	E	N	D	A	■	S	U	B	D	U	E
■	R	■	U	■	B	■	A	■	A	■	S	■
P	A	R	M	E	S	A	N	■	M	■	■	V
■	P	■	B	■	U	■	I	■	B	E	T	A
■	H	■	E	■	R	■	T	■	O	■	■	I
H	Y	B	R	I	D	■	■	Y	E	O	M	A	N

45

P	U	P	A		R	E	P	O	R	T	E	R
A		I		C		M		C		R		E
R	E	L	E	A	S	E		C	R	A	S	S
A		A		R		T		A		W		I
P	L	U	M	B		I	N	S	U	L	I	N
E			O		C		I		E			
T	A	U	G	H	T		F	O	U	R	T	H
		R		Y		B		N				A
S	L	A	N	D	E	R		A	W	F	U	L
T		N		R		O		L		R		C
O	U	I	J	A		W	A	L	L	A	B	Y
I		U		T		S		Y		M		O
C	O	M	P	E	T	E	D		W	E	A	N

46

N	E	A	T	E	S	T		P	U	P	P	Y
E		L		X		A		I		L		
M	I	M	I	C		L	A	Z	A	R	U	S
E		A		R		K		Z		M		
S	I	N	C	E	R	E		A	R	O	M	A
I		A		T		D				E		
S	A	C	H	E	T		C	O	Y	O	T	E
		R			S		V		R		N	
S	C	O	O	P		C	H	A	N	G	E	D
		H			S		R		T		A	O
V	A	N	U	A	T	U		I	N	N	E	R
		I			L		F		O		Z	S
S	C	R	U	M		F	A	N	F	A	R	E

47

S	I	D	E		A	S	T	E	R	I	S	K
H		U		C		C		X		M		I
R	A	N	C	O	U	R		T	O	P	I	C
E		C		N		O		O		R		K
D	R	E	S	S		L	A	R	D	E	R	
D			T		L		T		S		C	
E	N	S	U	R	E		F	I	A	S	C	O
R		C		U		B		O				R
	C	A	N	C	E	R		N	E	V	E	R
A		R		T		E		A		O		I
C	O	R	G	I		E	N	T	I	C	E	D
N		E		O		Z		E		A		O
E	N	D	A	N	G	E	R		S	L	U	R

48

A	L	A	D	D	I	N		B		S		S
C		D		O			B	A	L	T	I	C
Q		I		W		E		S		R		R
U	M	P	I	R	E	S		S	C	A	L	E
I		O		Y		P		O		Y		W
R	I	S	K		A	E	S	O	P			
E		E		B		R		N		C		A
			L	O	C	A	L		F	L	O	E
S		S		A		N		C		I		R
W	A	T	E	R		T	O	R	O	N	T	O
A		O		D		O		I		T		S
M	A	R	K	E	T			M		O		O
P		Y		R		E	T	E	R	N	A	L

49

```
M O D I F Y █ T I R A N A
I █ █ A █ A █ O █ █ █ U █
K █ A R T H R I T I S █ R
A █ G █ H █ G █ A █ T █ I
D U O D E N U M █ B R A G
O █ N █ R █ E █ S █ A █ A
█ B I B L E █ C H I N A █
A █ Z █ Y █ H █ R █ G █ S
B A I T █ D O C U M E N T
A █ N █ B █ U █ G █ S █ R
C █ G O O D N I G H T █ I
U █ █ M █ D █ E █ █ █ K █
S C R I B E █ A D M I R E
```

50

```
█ P E N U L T I M A T E █ E
I █ V █ T █ A █ A █ A █ █ M
N █ E █ T R U N K █ B O A █
S U R G E █ R █ E █ O █ I █
T █ E █ R U █ S P O O N █ N
R E S T L E S S █ █ █ █ T █
U █ T █ Y █ █ S M █ M █ E █
C █ █ █ E R U P T I O N █ █
T E P I D █ E █ E █ S █ A █
I █ U █ R M E L T O N █
O W N █ I L I A D █ A █ C █
N █ C █ L █ S U █ K █ E █
█ P H I L O S O P H E R █
```

51

```
S U B P O E N A █ █ I G O R
H █ O █ R █ U █ E █ R █ E
A P R I C O T █ X R A Y S
M █ N █ H █ M █ T █ D █ T
█ █ █ B E N E F I C I A L
H █ D █ S █ G █ N █ E █ E
O P I A T E █ A G E N T S
N █ C █ R █ C █ U █ T █ S
E U T H A N A S I A █ █ █
S █ A █ T █ M █ S █ O █ H
T I T L E █ E N H A N C E
L █ O █ D █ R █ █ E █ C █
Y A R D █ B A L D N E S S
```

52

```
F U N G U S █ P A L A C E
A █ E █ A █ L █ O █ █ U
C A R M E N █ A █ S █ R
T █ I █ I N N U E N D O
█ L █ N █ T █ M █ █ I
F A M I L Y █ A B O A R D
█ U █ █ O █ █ E █ █ E
I G N I T E █ B R A N C H
█ H █ █ U █ █ A █ N █ T
A S B E S T O S █ S █ █ S
V █ █ D █ U █ K U W A I T
E █ █ I █ R █ E █ █ █ U
R O T T E N █ T H R E A D
```

53

```
C H E E S E   D   P     P
  A     I   R O M A N C E
F L O W E R   D   R     R
  V   G   P O L A R I S
R E V I E W     L     O
E   N   E M P T Y     N
D A I S   I   O   S W A N
U     P U R S E   I     E
C     E     T A S S E L
T R I C K L E   F     G
I     T   O   A F F O R D
O C T O P U S   I     E
N     R   D   E X C I T E
```

54

```
A P P L E T   R A F F I A
S   R   X   O   R     U
P R O P H E C Y   F U S S
I   D   I   A   M     T
C L I M B   E L L I P S E
    G   I   O         R
C R Y P T S   C A T T L E
A     E     T   O
S H U D D E R   H U M I D
S   S   L   S   B   O
O N U S   V E N O M O U S
C   R   E   M   L   E
K I P P E R   R E W A R D
```

55

```
M A R V E L   M A G G O T
I   E   N   O   M   O   E
S Y M P T O M   I   Y   N
E   I   R   N I A G A R A
R U N N Y   I   B       N
Y   D     P L E A S T
    E   A B O V E   B   S
P A R I S   T     R
O     T   E   P L A N K
M O N S O O N   L   S   I
P   E   U   C R A N I U M
O   I   N   E   T   O   P
M A L A D Y   K E E N L Y
```

56

```
D E C A D E N T   F E T E
A   R   E   I     L   N
S W I S S   M A L L A R D
H   S   I   B     P   A
    I   R   L I A I S O N
C A S C A D E   N   E   G
E     B     C         E
L S L   S C H O L A R
I N Q U E S T   O   I
B   U     R   R   S   A
A M I A B L E   A S S A M
T   R     S   G   O   I
E M M A   E S T E E M E D
```

57

```
C A N T O N ■ S I C K L E
■ D U O ■ U R ■ T
F J O R D S ■ R A I S I N
■ O I ■ Y A P ■ P ■ A
B U R N T ■ ■ R ■ P ■ I
■ R ■ C H I L L I N G
N ■ R O ■ S E ■ S
G E L A T I N E ■ I
■ D ■ P ■ N ■ E B O N Y
O ■ I ■ C O Y ■ L ■ C
G A N D H I ■ E R A S E D
L ■ L ■ D T ■ I ■ R
E N Z Y M E ■ I S R A E L
```

58

```
E L B O W ■ P ■ S ■ E
X ■ E ■ A ■ A N A T O M Y
H A L V I N G ■ I ■ B
A ■ I ■ F ■ E A R M A R K
L ■ E ■ S ■ I ■ U ■ Y
I N F O R M A L ■ L O O P
N ■ B ■ O ■ I ■ U ■ A
G E T S ■ K I N G S T O N
■ Q ■ O ■ E ■ G ■ I ■ I
D U L L A R D ■ O ■ R ■ C
■ I ■ E ■ R A N S A C K
A N Y T I M E ■ L ■ D ■ E
■ E ■ E ■ W ■ Y I E L D
```

59

```
S C O U R G E ■ D E P O T
C ■ A ■ E ■ X ■ N ■ R ■ Y
R E F R I G E R A T E ■ I
A ■ M ■ M ■ ■ C ■ N
T H U M B ■ P A W N I N G
C ■ N ■ U ■ T ■ E ■ S ■
H U N G R Y ■ B A B I E S
■ A ■ S ■ S ■ L ■ O ■ Y
E N T R E A T ■ T E N O N
P ■ U ■ ■ I ■ H ■ ■ O
O ■ R E C O G N I T I O N
C ■ A ■ O ■ M ■ E ■ O ■ Y
H E L O T ■ A C R O N Y M
```

60

```
R E P L I C A ■ O I L E D
E ■ I ■ N ■ V ■ B ■ I ■ I
S I G H T S E E I N G ■ G
I ■ ■ E ■ N ■ A ■ I
D I V E R ■ U N K E M P T
E ■ E ■ C ■ E ■ I ■ E
D I N N E R ■ B L O N D E
■ T ■ P ■ D ■ O ■ T ■ R
S K I T T L E ■ M I S E R
O ■ L ■ N ■ E ■ ■ A
N ■ A P P O I N T M E N T
I ■ T ■ I ■ E ■ R ■ L ■ I
C R E P T ■ S H E L L A C
```

61

P	I	Q	U	E		S	T	U	D	I	E	S
A		U		D		A		N		N		E
S	P	A	N	I	E	L		C	O	C	O	A
T		L		F		V		U		O		L
A	L	I	B	I		E	S	T	O	N	I	A
		F		C		R		S				N
O	L	I	V	E	R		A	R	T	I	S	T
B		C		A		E		D				
J	E	A	L	O	U	S		F	R	E	Y	A
E		T		R		T		U		R		U
C	L	I	M	B		H	A	G	G	A	R	D
T		O		I		M		E		T		I
S	I	N	A	T	R	A		E	L	E	C	T

62

D	E	F	E	R		M		C	O	L	T
E		I		O	E	D	E	M	A		E
M	A	G	I	C		A		S		V	
A		U		K	I	D	N	A	P	P	E	R
N	O	R		E		T		I		R	
D		E		D	E	C	I	M	A	T	E	D
	S		L		V		M		N		T	
N	O	M	I	N	A	T	E	D		C		S
	L		N		L		E		A	P	T	
P	U	N	C	T	U	A	T	E		N		R
	B		O		A		M	E	D	I	A		A
	L		L	I	T	T	L	E		L		N
S	E	E	N		E		D	R	E	A	D

63

P	E	A	K		C	A	S	S	E	T	T	E
R		L		C		C		C		A		D
E	P	I	T	O	M	E		A	M	P	L	E
A		E		R		T		I				N
C	O	N	V	E	R	S	A	T	I	O	N	
H				S		N		E		C		G
E	L	F		P	R	I	O	R		A	G	A
R		E		O		F		B				R
	T	R	A	N	S	F	E	R	R	I	N	G
C		M		D			A		C		O	
O	B	E	S	E		F	L	I	G	H	T	Y
L		N		N		A		N		O		L
A	P	T	I	T	U	D	E		T	R	U	E

64

S	T	I	F	F		P	A	R	A	S	O	L
E		D		L	E	A		U		C		A
Q	U	I	T	O		R		M	E	R	I	T
U		O		T		I		B		E		H
E		M	I	S	M	A	N	A	G	E	D	
N				A		H				C		A
C	R	E	A	M	Y		A	F	G	H	A	N
E		M				P		U				C
		E	B	U	L	L	I	E	N	C	E	
S		R		I		M		N		I		S
M	E	A	N	S		P		I	N	G	O	T
U		C		Z		L	I	E		H		O
T	R	E	S	T	L	E		R	O	T	O	R

65

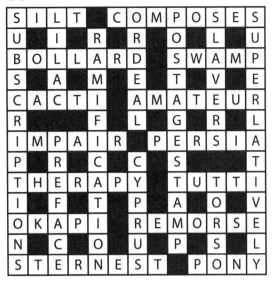

```
S I L T ■ C O M P O S E S
U ■ I ■ R ■ R O L ■ L ■ U
B O L L A R D ■ S W A M P ■
S ■ A ■ M ■ E ■ T ■ V ■ E
C A C T I ■ A M A T E U R ■
R ■ ■ F ■ L ■ G ■ R ■ L ■
I M P A I R ■ P E R S I A ■
P ■ R ■ C ■ C ■ S ■ ■ T ■
T H E R A P Y ■ T U T T I ■
I ■ F ■ T ■ P ■ A ■ O ■ V
O K A P I ■ ■ R E M O R S E
N ■ C ■ O ■ U ■ P ■ S ■ L
S T E R N E S T ■ ■ P O N Y
```

66

```
S O L U T I O N ■ S O D A ■
O ■ O ■ A ■ P ■ ■ R ■ ■ N
A ■ C ■ X ■ T O N I G H T ■
R O U T I N E ■ ■ L ■ ■ I
■ ■ S ■ ■ D E C A Y E D ■
S A T I R E ■ P ■ N ■ ■ O
T ■ L ■ A ■ I ■ K ■ ■ T
U ■ L ■ C ■ C H A R G E ■
B R O U G H T ■ ■ W ■ ■ ■
B ■ ■ S ■ ■ A V E R A G E
O B V I O U S ■ C ■ N ■ R
R ■ ■ O ■ T ■ H ■ D ■ I
N E O N ■ L E M O N A D E
```

67

```
S E P T I C ■ A ■ S ■ E ■
T ■ A ■ ■ H E S I T A N T
I ■ W ■ E ■ P U T ■ ■ T ■
G E N I U S ■ H O B A R T
M ■ N ■ T ■ A ■ ■ U ■
A B O D E ■ C L E A N S E
■ L ■ E ■ N ■ T ■ L ■ T
F A U X P A S ■ L E A S H
■ C ■ ■ I ■ M ■ R ■ ■ A
S K E W E R ■ A N T L E R
■ S ■ H ■ O ■ O ■ I ■ L
D E C E M B E R ■ ■ E ■ O
■ A ■ Y ■ I ■ I N S U L T
```

68

```
■ C O N F E C T I O N E R
R ■ R ■ I ■ A ■ D ■ U ■ E
A L I E N ■ V ■ L A R V A
T ■ O ■ L E I ■ E ■ T ■ C
H E N N A ■ T H R O U G H
E ■ ■ N ■ Y ■ ■ R ■ ■ ■
R E M E D Y ■ C A V E R N
■ ■ O ■ ■ K ■ U ■ ■ ■ O
C A R R O L L ■ T E M P T
L ■ A ■ N ■ A D O ■ A ■ I
A M I S S ■ X ■ B A C O N
S ■ N ■ E ■ O ■ U ■ A ■ G
S W E E T A N D S O U R ■
```

69

```
T H R E E S O M E . C O W
A . A . P . . N . O . A
C A T N A P . B A L L A D
T . H U T . C . D D . D
. D E A L . O A T M E A L
P . R . R . . R . I . N
A . . S T I R R U P . . G
R . E . . E . K . B .
D O L P H I N . U T A H
O . E . A . T . L . N V
N E V A D A . D E B A T E
E . E . E . . L . N . R
D I N . S E C R E T A R Y
```

70

```
L O S E R S . T . B . A
A . I . W O O D L A N D
B E G S . E . N . O . Y
E . H A W A I I . W O O L
L . C . R . G . . N
S H O R T . C H O P P E D
. . . E . G . T . L
C A N D E L A . R O B I N
. T . . U . G . U . O
A T O M . E N O U G H . O
. E . U . I . U . H I N D
I N C L I N E D . . F . L
. D . E . G . A T T I R E
```

71

```
S P A T T E R . A D O R N
C . R . A . E . E . E
A S S . U S E F U L T I P
L . E . G . L . I . A
L U N C H . O . G I R L
O . A . T R E N C H .
P I L L . A . U . T H E M
. . . I N G E S T . A . Y
Q U I N . E . A B Y S S
U . C . . I . I . W . T
I L L O G I C A L . I C E
L . L . . O . O . R . R
T H I N K . N U R S E R Y
```

72

```
C O R R E C T . C . M . B
H . E . D . I K E B A N A
A C Q U I R E . L . G . L
N . U . C . R . L . M . L
G U I L T Y . R O T A T E
E . E . . O . E . . . T
. I M M E D I A T E L Y .
B . . . E . C . E . . T
A B S E I L . H A V A N A
R . A . S . W . D . D . C
B . F . L . O B E L I S K
E Y E B A L L . P . N . L
R . R . M . F A T I G U E
```

73

```
F O L L O W   C I R C U S
  V   A   E   I   E   U
W E A P O N   R A V I N E
  R   E   T I C   E   Z
P S A L M     U   N   M
  L     C U L T U R A L
  E   F   O   A   E   C
S P A R K L E R   E
  T   I   O     P A N D A
O     G   S A D   T   O
M O R A S S   A T T U N E
I     T   U   R   I   I
T A P E R S   N E C T A R
```

74

```
D   C   C   C A U T I O N
O R I N O C O     S   E
V   N   N   S   D O S E S T
E R E C T   S K I   U   T
    M   E   E   S H E L L
T R A U M A T I C   D   I N
E     P       O       I N
E   A   L E C T U R I N G
T I B I A   A   R   G
O   S   T A R   T R U M P
T H O S E   M   E   A   I
A   R     E S S E N C E
L E B A N O N     Y   A R
```

75

```
G L O S S   C A T W A L K
L   U   E   O   O   G   R
A R T   P E N E T R A T E
S   R   U   F   M   M
S H A W L   E N S N A R L
    G   C   D   U   I
L I E C H T E N S T E I N
U     R   R   P   P   N
C H O L E R A   I C I N G
I   F     T   C   C   R
F E T T U C I N I   U S A
E   E   F   O   O   R   V
R A N G O O N   N E E D Y
```

76

```
S C R O L L   F   P   T
I   U     A I R T I G H T
N U N     B   E   N   R
B   N E W E S T   N O O K
A   E   L   S   A   W
D O R I C   B A L C O N Y
    N   L   W   L
A S H T R A Y   B E R R Y
  A   E   N   F   E   A
R U I N   T E A P O T   W
  C   D   E   C   A N N
R E H E A R S E     I   E
  R   D   N   T O I L E D
```

77

```
O C T A G O N ▉ D ▉ L I P
▉ O ▉ I ▉ O V I N E ▉ O
A M O N G S T ▉ M ▉ N ▉ S
▉ B ▉ A ▉ A ▉ E D I C T
F I R E W O R K ▉ ▉ E ▉ U
▉ N ▉ A ▉ Y ▉ W ▉ N ▉ R
D E P U T Y ▉ T I P T O E
E ▉ I ▉ T ▉ M ▉ D ▉ P
S ▉ C ▉ M A J E S T I C
C H A I R ▉ T ▉ N ▉ A
E ▉ S ▉ I ▉ U T I L I T Y
N ▉ S E N O R ▉ N ▉ E
T W O ▉ K ▉ E N G L I S H
```

78

```
H I D E A W A Y ▉ A B E L
A ▉ E ▉ N ▉ L ▉ A ▉ I
T I B E T ▉ L E B A N O N
E ▉ R ▉ I ▉ E ▉ D ▉ G
▉ I ▉ P ▉ G R A N I T E
C A S C A D E ▉ M ▉ T ▉ R
A ▉ S ▉ ▉ S ▉ I
N O T ▉ C O T T A G E
B A P T I S E ▉ E ▉ C
E ▉ T ▉ M ▉ R ▉ T ▉ H
R E I S S U E ▉ D R I V E
R ▉ O ▉ N ▉ A ▉ V ▉ R
A U N T ▉ S T A M P E D E
```

79

```
D I S G R U N T L E D ▉ A
E ▉ E ▉ T ▉ I ▉ N ▉ N
N A R C O T I C ▉ E D I T
O ▉ K ▉ E ▉ K ▉ M ▉ H
T U M O U R ▉ S T A B L E
E ▉ I ▉ L ▉ ▉ A ▉ M
▉ A N G R Y ▉ G R A N D
B ▉ O ▉ A ▉ T ▉ I
A R R E S T ▉ S A T U R N
N ▉ L ▉ R ▉ T ▉ O ▉ V
G O B I ▉ I R R I T A T E
L ▉ T ▉ A ▉ I ▉ E ▉ R
E ▉ R E P L A C E M E N T
```

80

```
B A C K ▉ P A R A D I S E
E ▉ R ▉ A ▉ D ▉ S ▉ S ▉ T
C R O W B A R ▉ T O R C H
O ▉ W ▉ B ▉ I ▉ O ▉ A ▉ O
M I N E R ▉ F I N G E R S
E ▉ ▉ E ▉ T ▉ I ▉ L
S A L I V A ▉ A S P I R E
▉ I ▉ I ▉ S ▉ H ▉ X
C O N T A C T ▉ M A O R I
A ▉ K ▉ T ▉ A ▉ E ▉ F ▉ S
B L I N I ▉ B E N E F I T
L ▉ N ▉ O ▉ L ▉ T ▉ A ▉ E
E N G I N E E R ▉ F L E D
```

81

```
Q U E B E C . S A L I V A
U . . U H . A . U . . I
I B E R I A . W . K . . D
Z . E . N O N S E N S E . E
. M . A . C . L . C .
D A N U B E . W I N T E R
. R . L . . M . N .
T I G R I S . B E R L I N
. N . N . A . U . C
F E S T I V A L . G . A
L . R . E . L E G E N D
O . A . N . O . E . A
P U P P E T . T E D I U M
```

82

```
E T H O S . P E R S I S T
X . U . E . A . . T .
E . R . M . L . A V I A N
M A R Z I P A N . O . G
P . I . N . C . G U E S S
T E E N A G E R . R . L
I . D . R . . C . P . U
O . . P . A Q U A R I U M
N O B L E . U . L . T . B
. U . U . L A N D M I N E
E N T R Y . R . E . F . R
. C . A . . T . R . U . E
B E R L I O Z . A I L E D
```

83

```
O T T A W A . B . R . N
. R . C . S A U C E P A N
P U S H E S . L . A . T
. L . E . E C L E C T I C
G Y P S U M . . T . V
A . . . B O R R O W E D
N . E . L . E . R . A
G A R G O Y L E . . . M
. P . O . . M I S H A P
S O F T W A R E . Q . L
. L . I . X . R O U B L E
B L U S H I N G . I . E
. O . T . L . E M B R Y O
```

84

```
. A . C . A . A . A . B
O F F E N D E D . S U E Z
. F . N . U . M . K . L
L A S T . L A I D . G O D
. I . I . T . R . U . N
G R A P E . C A R N A G E
. . E . . A . L . C
B A N D A G E . A E S O P
. N . E . I . I . R . C
B I T . S T U N . T A C K
. M . A . A . A . A . U
M A S S . T A N G I B L E
. L . H . E . E . N . T
```

85

```
J E A L O U S Y . M O A T
U . Q . B . O . . H . U R
D O U B T F U L . . I . R
D . A . U . L A C T O S E
E A R L S . . N . . . . E
R . I . E R U D I T I O N
. U . . E . A . . M . . .
C O S M O N A U T . P . T
U . . . O . . U N I T E S
C E R T A I N . M . S . S
K . A . . R I C O C H E T
O . R . . L . . . U . L E
O B E Y . B E T R A Y E D
```

86

```
D A G G E R . S E C U R E
. L . A . I . A . H . O .
W A L L . C U R R E N C Y
. B . L . E . G . A . . .
C A R A T . B A T T E R Y
. S . N . I . S . . E . .
S T A T U S . S O U R C E
. E . . O . O . P . O . .
A R T I C L E . S T O N E
. . N . A . C . I . C . .
C O M P U T E R . G R I M
. R . U . E . O . H . L .
A B A T E D . P O T T E R
```

87

```
G R U B . T A L I S M A N
E . E . E . A . E . R . .
R A N D O M L Y . A N T E
B . O . P . . E . M . E .
I N S U R E . R E S U M E
L . I . S . . . . . . I .
. T E N E T . S U C K S .
. E . . . . U . A . A . A
H A R A S S . B E R E F T
. C . L . O . J . D . H .
S H O O . F L E X I B L E
. E . N . I . C . F . N .
B R A G G A R T . F O E S
```

88

```
S Q U A W K . S I N F U L
C . P . E . L . L . E . .
A B S I N T H E . C O M A
L . T . C . E . U . F . .
P L A T E . A P P A R E L
. . R . S . . R . E . . .
N E T T L E . D E P O R T
E . . A . . M . U . . . .
R E F U S A L . A N T I C
V . U . L . T . C . H . .
O U S T . O S C U L A T E
U . T . N . . R . S . E .
S A Y I N G . P E W T E R
```

89

```
S U R E . P R E S U M E S
W . I N E . T . A . . . U
O B S C U R E . A D L I B
L . E . R . K . T . T . S
L I N K S . E V I D E N T
E . . . E . D . S . S . A
N A T U R E . S T R E W N
H . U . Y . F . I . . . T
E N G O R G E . C A C T I
A . G . H . N . I . L . A
D A I L Y . N E A R E S T
E . N . M . E . N . A . E
D O G G E D L Y . G R I D
```

90

```
D I C E . H E L M S M A N
I . U . P . U . O . A . E
E M P E R O R . T O R S O
H . I . O . O . H . C . N
A U D I T . P R E F E R .
R . . . E . E . R . A . W
D I V E S T . E N O U G H
S . I . T . B . A . . . E
. D E C A D E . T R A C E
S . W . T . S . U . R . Z
H A I T I . I S R A E L I
O . N . O . D . E . N . N
E N G I N E E R . T A N G
```

91

```
T E N S I O N . H O I S T
R . O . M . I . U . N . R
I N D E P E N D E N T . U
G . E . L . E . R . . . C
G R A T E . T E X T U R E
E . N . M . Y . Y . S . .
R O A M E D . S L E I G H
. . L . N . I . O . V . U
L I G H T E N . P R E E N
E . E . . . V . H . . . D
A . S C A R E M O N G E R
S . I . L . N . N . E . E
T R A I L . T R E B L E D
```

92

```
S A B L E . . T . . G . I
I . O . D . H E A R I N G
M A S C A R A . . A . V .
P . T . M . W O L F R A M
L . O . . D . B . F . D .
I N N O C E N T . I D E S
F . . B . S . U . T . . U
Y E L L . P O S E I D O N
. . C . I . O . E . U . S
E L E V A T E . A . B . H
. . A . I . V I V A L D I
D I V O R C E . I . I . N
. . R . N . R . D E N S E
```

93

```
C A P T O R   . S H E A T H
O . L . P . C . X . . . A
B L U N T S . O . E . . Z
R . T . A N T I M O N Y .
A V O W . R . C . P . A .
. O . A L C O H O L . U .
R O O F . O . B . A P S E
. D . E M P E R O R . E .
. O . R . H . O . Y E A R
C O N T R A C T . V . A .
U . . H . G . H E R E S Y
B . . I . U . . E . N . O
S T O N E S . P L A T E N
```

94

```
R I P P I N G . B O U N D
U . A . N . U . E . . O .
M I T R E . R E S O L V E
O . E . X . K . O . . E .
U N L E A S H . M O U L T
R . L . C . A . . . . T .
S C A N T Y . P A P A Y A
. . U . . C . D . S . R .
S T E E R . A D V I S O R
. . L . . U . S . E . I A
D E L I G H T . R E S I N
. . R . . B . R . S . T G
G Y P S Y . O V E R S E E
```

95

```
C H A M B E R . S . T . B
E . D . O . S Q U I R E E
S . O . S . E . U . L . A
S T R A U S S . E L D E R
P . N . N . T . E . E . D
I B E X . B A I Z E . . .
T . D . S . B . E . C . C
. . . A T O L L . Y O G I
C . A . A . I . B . L . S
A D D E R . S C A R L E T
R . O . D . H . B . I . E
G A L L O N . . E . E . R
O . F . M . A I L E R O N
```

96

```
A . C . A . A N T I Q U E
P O L A R . F . U . . . S
P . A . S T R E N U O U S
L I M B O . I . I . T . A
A . B . N E C E S S A R Y
U . E . . A . I . . U . .
D E R I V E . L A N C E T
. . K . E . P . . A . . H
P E N I N S U L A . P . I
L . O . I . M . L I T H E
A R M I S T I C E . I . V
Z . A . O . C . R E V U E
A N D A N T E . T . E . S
```

97

```
C A S E M E N T . . B I A S
H . E . E . O . . L . . I
I . A . N . B O R E D O M
C A R O U S E . . A . . M
. . C . . L A T T I C E . .
S A H A R A . J . I . N . R
Y . C . C . A . . N . . . E
N . C . R . . R U G G E D
D I L U T E D . . . R
R . . S . A S S U A G E
O M I T T E D . O . T . N
M . . O . . D . F . I . I
E X A M . B Y P A S S E D
```

98

```
D E F Y . F O U N T A I N
R . U . E . D . A . L . O
A N N E X E D . U N I T E
W . G . A . . T . G . L
B R I N G T O L I G H T .
A . . G . B . C . T . W
C O G . E N E M A . S K I
K . R . R . Y . L . . L
. D I S A S S E M B L E D
P . M . T . . I . E . E
A L I B I . H O L I D A Y
S . E . O . I . E . G . E
S E R E N I T Y . S E N D
```

99

```
P I G E O N H O L E D . M
A . G . U . C . M . . . E
D U T Y F R E E . B A L L
D . P . S . A . E . . . O
L U S T R E . N U D G E D
E . K . R . . U . . . . Y
. S I L L Y . P E D A L .
B . E . R . . V . . . W
A F R I C A . O C T A V E
L . . N . C . B . R . . A
L E A F . C O L L A G E N
O . . E . R . E . I . . E
T . B R O A D M I N D E D
```

100

```
M I L E . S P I N S T E R
O . . L . P . N . P . P
R E G U L A T E . A R I A
O . . S . R . R . C . S
S H R I N K . T R E M O R
E . . V . L . . . . D
. A R E T E . J U I C E
L . . A . . U . N . . A
E M P L O Y . G O B L I N
. A . I . A . G . O . . K
S N O B . C A L C U T T A
. A . E . H . E . N . . R
S C U L P T O R . D A T A
```

101

S	A	M	O	V	A	R		O		G		A
T		A			U	P	D	R	A	F	T
R		R	O	L	L	S		E		L		T
A		J		E		T	A	R	T	A	R	E
W	R	O	N	G		I						N
		R		E	X	C	H	A	N	G	E	D
M		A		N			W		U		S
A	R	M	A	D	I	L	L	O		E
C				I		K	O	R	E	A
H	U	M	D	R	U	M		E		I		B
E		A		O		P	E	N	A	L		B
T	H	I	M	B	L	E				L		E
E		L		E		T	E	A	L	A	D	Y

102

R	E	P	U	L	S	E		D		S		A
A		A				R	E	A	R	I	N	G
B		S	A	L	S	A		T		G		O
I		S		I		S	H	A	N	N	O	N
D	R	O	S	S		E				I	
		V		B	A	R	B	A	R	O	U	S
S		E		O			B		U		E
T	A	R	A	N	T	U	L	A		T
E				N		C	O	B	R	A
R	I	S	I	B	L	E		U		U		I
I		U		L		V	I	S	O	R		M
L	E	I	S	U	R	E				S		E
E		T		E		N	E	G	A	T	E	D

103

S	C	R	A	P		T			P			K
N		E		A		H	E	X	A	G	O	N
O	I	L		R		U		T		E		E
W		E		D	I	S	P	A	R	A	G	E
M	A	N	G	O			A		I			L
A		T		N	A	U	S	E	O	U	S
N		A		O		T		T			G
	A	B	N	O	R	M	A	L		D		H
B		G		T			E	X	I	L	E
E	N	D	U	R	A	N	C	E		S		R
R		I		O		W		A	R	K		I
E	P	I	S	O	D	E		R				I
T		H		L		Y	E	M	E	N

104

S	T	R	A	N	G	U	L	A	T	I	O	N
T			S		U		I		N		E
R	O	W	S		A		E	N	D	I	V	E
I			A	C	R	I	D		T		D
D	E	F	Y		D		O	F	F	I	C	E
E		U				W		A		D
	K	N	E	A	D		N	O	B	L	E
W		I		E			L		T
A	N	C	H	O	R		H		M	Y	T	H
R		U		V	I	O	L	A		E
M	A	L	A	W	I		V		M	I	L	L
U		A		S		E		B		M
P	A	R	A	P	H	E	R	N	A	L	I	A

105

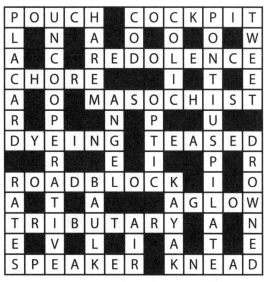

```
P O U C H   C O C K P I T
L   N   A   O   O   O   W
A   C   R E D O L E N C E
C H O R E       I   T   E
A   O   M A S O C H I S T
R   P   N   P       U
D Y E I N G   T E A S E D
    R   E   I   P   R
R O A D B L O C K   I   O
  T   A       A G L O W
T R I B U T A R Y   A   N
E   V   L   I   A   T   E
S P E A K E R   K N E A D
```

106

```
S U E D E   S H A L L O W
T   M   X   T   U   U   U
R   P   H   U   E X I T S
E N T R A N C E   U   D
S   I   L   C   B R O O M
S K E L E T O N   Y     A
F   D   D       B   C   R
U   C   T H A I L A N D
L A D L E   I   S   R   I
  G   E   E J E C T I N G
S I E V E   A   U   B   R
  L   E   C   I   O   A
B E D R O C K   T R U S S
```

107

```
W R E N C H E D   C L A D
E   L   R   X   O   W
P R I D E   C H A P A T I
T   C   S   E   D   I   N
    I   C   S U S P E N D
M O T H E R S   Q   D   L
A   N   U   D   E
S   A   D   P R E T E N D
S A V I O U R   E   N
A   E   A   Z   Z   A
C E N T U R Y   I D Y L L
R   G   E   N   M   A
E W E R   P R O G R E S S
```

108

```
I   C   L   W O R S H I P
C H O L E R A       E   O
E   L   V   V   S E A L S
S I E G E   E M U   T   I
    U   L   R   P L E A T
P O S T H A S T E   R   I
R       E       R       O
O   B   A D M I S S I O N
S Q U I D   A   E   M
P   R   E G G   D E B U T
E N D E D   G   I   I   E
C   E       O M N I B U S
T A N G E N T   G   E   T
```

109

```
  . V . C . C S . A . A
  B A R E F O O T . B E N T
  . N . L . M . A . C . G
  H I V E . M O T H . D O G
  . S . B . A . I . E . R
  T H O R N . D O U G L A S
  . . . A . K . N . R
  T O O T S I E . P E R D U
  . R . E . N . F . G . E
  C A T . I D O L . I M A M
  . T . L . R . E . O . F
  B O N E . E X E C U T E D
  . R . I . D . T . S . N
```

110

```
  C O C K A T O O . . C L A M
  O . H . V . W . . A . I
  R E A L I S E D . . Z . D
  P . M . A . D E L A Y E D
  S U P E R . . B . . . A
  E . I . Y E S T E R D A Y
  . . O . X . O . . O
  S I N G A P O R E . W . P
  C . . . O . R A N G E . E
  A N T W E R P . S . H . C
  R . O . . T A M A R I S K
  C . U . . I . T . L . E
  E Z R A . F R I Z Z L E D
```

111

```
  A B R A D E . S T A M E N
  . E . L . D . I . P . L
  V E R B . D A N D R U F F
  . L . E . Y . G . I
  A Z U R E . L U L L A B Y
  . . E . T . H . L . E
  A B L A Z E . A N I M A L
  . U . . R . R . C . U
  A B O L I S H . J E T T Y
  . . I . C . S . C . I
  B O O K S H O P . O A F S
  . . D . E . E . U . U
  K E R N E L . R I D D L E
```

112

```
  O R P H A N . H A I L E D
  A . R . F . A . M . . Y
  S H O R T S . N . P . E
  I . N . E N D O R S E D
  S A G A . N . G . E . X
  . T . G A S T R I C . O
  S T A R . A . E . I N T O
  . A . E X T E N D S . I
  . C . E . I . A . E T C H
  R H O M B O I D . . R . A
  A . E . N . E R S A T Z
  I . N . A . . I . C . E
  L I N T E L . A P P E A L
```